B2

BITÁCORA 4
NUEVA EDICIÓN

**Curso
de español**

MUESTRA COMERCIAL

MP3
descargable

María Dolores Chamorro
Pablo Martínez Gila
Jaume Muntal Tarragó
Luisa Pascual

Cuaderno de ejercicios

CRÉDITOS

Autores
María Dolores Chamorro
Pablo Martínez Gila
Jaume Muntal Tarragó
Luisa Pascual

Revisión pedagógica
Emilia Conejo, Neus Sans,
Carolina Domínguez

Coordinación editorial
Carolina Domínguez

Diseño gráfico y maquetación
Grafica, Pedro Ponciano

Ilustraciones
Juanma García Escobar,
excepto Lena Seiferth (pág. 67)
y Emilia Conejo (pág. 106)

Corrección
Sílvia Jofresa

Grabación CD
Difusión
Locutores: Antonio Béjar, Iñaki
Calvo, Gloria Cano, Emilia Conejo,
Bruna Cusí, Luis García Márquez,
Agustín Garmendia, Pablo Garrido,
Javier Llano, Noemí Martínez, Xavier
Miralles, Carmen Mora, Edith Moreno,
Núria Murillo, Amaya Núñez, Raquel
Ramal, Paco Riera, Neus Sans, Josefina
Simkievich, Sergio Troitiño, Carolina
Domínguez, Silvia Dotti, Jimena Gala

Agradecimientos
Lena Seiferth, Noemí Martínez,
Iñaki Calvo, Pablo Garrido

© Los autores y Difusión, S.L.
Barcelona 2018
ISBN: 978-84-16347-83-4
Impreso en España por Imprenta Mundo

Queda prohibida cualquier forma de reproducción, distribución, comunicación pública y transformación de esta obra sin contar con la autorización de los titulares de la propiedad intelectual. La infracción de los derechos mencionados puede ser constitutiva de delito contra la propiedad intelectual (arts. 270 y ss. Código Penal).

Cubierta Alexsalcedo/Dreamstime, ppart/istockphoto, Pablo Caridad/Dreamstime **Unidad 1** pág. 24 Oleksandr Kovalchuk/Dreamstime, pág. 31 Kupbur/Dreamstime, pág. 32 www.casadellibro.com, pág. 35 Leo Maslíah, pág. 37 Mirko Vitali/Dreamstime, pág. 39 Udra11/Dreamstime **Unidad 2** pág. 41 Bowie15/Dreamstime, Bowie15/Dreamstime, Bowie15/Dreamstime, pág. 48 Prudencio Alvarez/Dreamstime, pág. 56 Igor Zakharevich/Dreamstime.com **Unidad 3** pág. 60 Stefano Valeri/Dreamstime, Joserpizarro/Dreamstime, pág. 63 Dmitriy Yakovlev/Dreamstime, Patricio Hidalgo/Dreamstime, pág. 64 Richard Schafer/Dreamstime, pág. 69 Patricio Hidalgo/Dreamstime, pág. 71 Claude Truong-Ngoc/Wikimedia Commons-cc-by-sa-3.0, pág. 72 Dtiberio/Dreamstime, pág. 76 Miller Jackson Digital, pág. 78 Fotoandvideo/Dreamstime,

pág. 79 LISBETH SALAS, pág. 81 Iakov Filimonov/Dreamstime **Unidad 4** pág. 101 Judith Dzierzawa/Dreamstime **Unidad 5** pág. 102 Antonio Guillem/Dreamstime, pág. 111 James Steidl/Dreamstime, pág. 112 Monkey Business Images/Dreamstime, pág. 120 Esebene/Dreamstime **Unidad 6** pág. 129 Lopolo/Dreamstime, pág. 121 Kiosea39/Dreamstime, pág. 133 Dmytro Tolmachov/Dreamstime, Anton Barashenkov/Dreamstime, pág. 134 Katarzyna Bialasiewicz/Dreamstime, pág. 135 Bojan89/istock, pág. 138 Oscar Quetglas, pág. 141 www.sensacine.com, IMDb, FilmAffinity, pág. 142 Francis Gonzalez Sanchez/Dreamstime, Monkey Business Images/Dreamstime, Starfotograf/Dreamstime, Goodluz/Dreamstime, Andreaobzerova/Dreamstime **Unidad 7** pág. 146 Lopolo/Dreamstime, pág. 158 Monkey Business Images/Dreamstime,

Anna Kraynova/Dreamstime, 88and84/Dreamstime, Gotstock/Dreamstime, Pras Boonwong/Dreamstime, pág. 162 Steve Debenportn/iStockphoto **Unidad 8** pág. 166 Ricardo García/Baza turismo, Eduardo Esteban/el-cascamorras.com, pág. 168 Eduardo Lopez Coronado/Dreamstime, Mariadubova/Dreamstime, Iofoto/Dreamstime, Photographerlondon/Dreamstime, pág. 170 Agencia de Noticias ANDES, pág. 171 Diego Grandi/Dreamstime, pág. 173 Lzf/Dreamstime, pág. 174 Oleg Samoilov/Dreamstime, pág. 176 commons.wikimedia.org, pág. 180 commons.wikimedia.org, www.museodelprado.es, pág. 182 Skandaramana Suryanarayana/Dreamstime **Unidad 9** pág. 185 image.freepik.com/free-icon, pág. 198 Yana Tatevosian/Dreamstime, pág. 199 leksandar Radovanovic/Dreamstime, pág. 203 Haiyin/Dreamstime.

difusión
Centro de Investigación y Publicaciones de Idiomas, S. L.

C/ Trafalgar, 10, entlo. 1ª
08010 Barcelona
Tel. (+34) 93 268 03 00
Fax (+34) 93 310 33 40
editorial@difusion.com

www.difusion.com

CUADERNO DE EJERCICIOS
BITÁCORA 4 NUEVA EDICIÓN

En este cuaderno te proponemos una amplia selección de actividades destinadas a reforzar y a profundizar en el trabajo hecho con el Libro del alumno. La mayoría de los ejercicios se pueden resolver individualmente, pero también hay actividades que se deben realizar en clase con uno o más compañeros porque están destinadas, principalmente, a reforzar la capacidad de interactuar oralmente. En las páginas siguientes te explicamos la estructura del cuaderno en detalle.

Recursos gratis para estudiantes y profesores en

campus difusión

UNIDADES 0 A 9

EJERCICIOS COMPLEMENTARIOS DE LOS DOSIERES, AGENDAS DE APRENDIZAJE Y TALLERES DE USO

Una amplia gama de ejercicios complementan los dosieres 01, 02 y 03 de cada unidad del Libro del alumno. Te ayudarán a **preparar la lectura y las audiciones** o a **consolidar los diferentes contenidos**.

También hay actividades que complementan la Agenda de aprendizaje. En ellas se proponen **nuevos contextos que invitan a usar de forma reflexiva y significativa las estructuras presentadas**.

En cada unidad encontrarás:

• **Ejercicios de gramática** para reflexionar y profundizar en el funcionamiento de la lengua y para automatizar algunos aspectos formales, en especial de cuestiones morfológicas y sintácticas. En estos casos, hemos considerado siempre un uso contextualizado y significativo de esas formas y hemos evitado los ejercicios de pura manipulación.

• **Comprensiones auditivas** que plantean actividades con documentos orales y trabajo con transcripciones, destinado a observar de manera específica las formas y los recursos de la lengua oral. Están señalizadas con el icono 🔊 **1**.

• **Actividades de escritura individual o cooperativa** que posibilitan un nuevo uso de los contenidos léxicos, gramaticales y pragmáticos de la unidad.

• Ejercicios de observación de **cuestiones fonéticas**, de discriminación y de práctica de la **pronunciación**.

• **Actividades de interacción oral** para realizar en pareja o en grupo. Están señalizadas con el icono 🎙.

• **Actividades de mediación** en español o entre el español y tu lengua u otras que conoces. Están señalizadas con el icono 🔄.

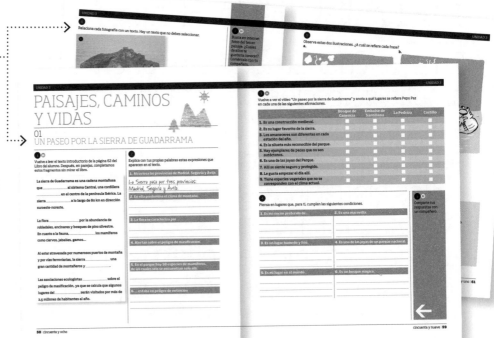

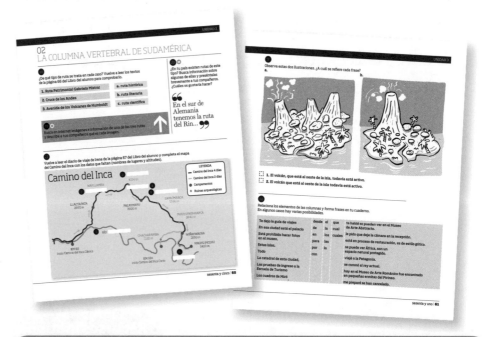

Descárgate los audios en
http://bitacora.difusion.com/audios4ce.zip

ARCHIVO DE LÉXICO

Si en las páginas del Libro del alumno, especialmente en el Archivo de léxico, has descubierto el vocabulario en contexto y has reflexionado sobre su significado y funcionamiento, en esta sección del Cuaderno encontrarás **ejercicios muy variados (clasificar palabras, buscar relaciones, recuperar, memorizar, etc.) que te servirán para retener las unidades léxicas** más importantes de la unidad.

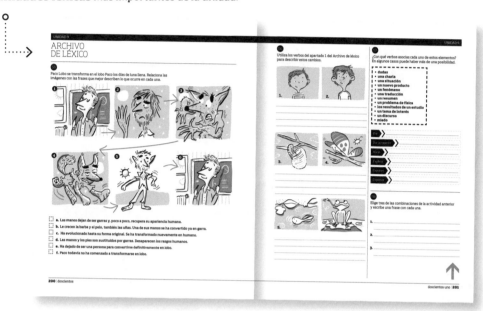

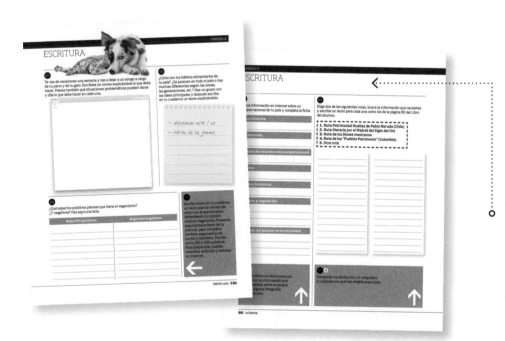

ESCRITURA

En esta sección se ofrecen varias actividades de expresión escrita que recogen los temas y las tipologías textuales de la unidad.

ÍNDICE

UNIDAD 0
MÁS FLUIDEZ Y MENOS ERRORES

UNIDAD 2
¿ES VERDAD O ES MENTIRA?

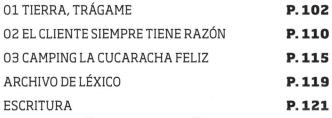

ÍNDICE

UNIDAD 7
YO Y MIS CIRCUNSTANCIAS

UNIDAD 6
JÓVENES Y NO TAN JÓVENES

UNIDAD 8
EL ARTE Y LA FIESTA

UNIDAD 9
INVESTIGACIÓN Y DESARROLLO

MÁS FLUIDEZ Y MENOS ERRORES

01
SI YO FUERA...

Vuelve a leer el texto de la página 22 del Libro del alumno y explica con tus palabras qué crees que quiere decir Manuel Menchón con estas afirmaciones.

1. La humanidad requiere no bajar la guardia y en estos tiempos a veces puede ser complicado.

Creo que quiere decir que...

2. Su sonido casi me parece robado a la naturaleza.

Me parece que quiere decir que...

3. Siempre me siento extraterrestre allá donde voy.

Lo que significa para mí es...

4. Cuando la veo me reconcilio con la humanidad, aunque antes haya visto los informativos.

Supongo que trata de decir que...

¿Con cuáles de estos adjetivos definirías a Manuel Menchón a partir de sus respuestas? Añade otros si lo necesitas.

- intuitivo
- extravagante
- extrovertido
- comprensivo
- observador
- valiente
- impulsivo
- realista
- crítico
- sensible
- solitario
- práctico
- creativo
- analítico
- pedante
- sincero
- indeciso
- pesimista
- intelectual
- original
- poético
- inteligente

Para mí Manuel Menchón es...

Pon en común tus ideas con tus compañeros. ¿Habéis elegido los mismos adjetivos?

—A mí me parece que Manuel es un poco pesimista porque habla de la humanidad en términos muy negativos.
—Pues yo no creo que sea pesimista, la verdad. Para mí, es bastante realista y...

4

Completa con todas las palabras que se te ocurran para cada categoría.

Paisajes	Animales
mar	

Emociones	Instrumentos musicales
	flauta

Objetos	Prendas de vestir
	bufanda

Comidas	Colores
	amarillo

5

Compara tu lista con las de tus compañeros. Anota las palabras que no tengas.

6

Completa cada categoría de la tabla con una palabra que empiece por la letra que diga vuestro profesor.
El primer estudiante que complete la línea dirá "¡Stop!". Cada palabra correcta vale un punto.
Gana quien al final del juego consiga más puntos.

Letra	Objeto	Emoción	Comida	Animales	Colores	Profesión
A	abrelatas	alegría	arroz negro	avestruz	azul	albañil

7

Completa con información sobre ti.

1. **Si yo fuera un color, sería** ....

   porque ....

2. **Si yo fuera un deporte,** ....

   porque ....

3. **Si yo fuera un planeta,** ....

   porque ....

4. **Si yo fuera un sonido,** ....

   porque ....

5. **Si yo fuera un sabor,** ....

   porque ....

6. **Si yo fuera un móvil,** ....

   porque ....

8 👥

Busca compañeros con algunas respuestas iguales a las tuyas y pregúntales las razones de su elección. ¿También coinciden?

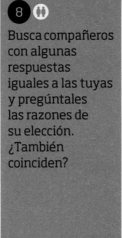

9

Escribe un pequeño texto explicando cómo crees que es tu profesor a partir de las respuestas de la actividad E del Dosier 01. Pide la información que te falte o vuelve a hacerle las preguntas a tu profesor.

Creo que mi profesor de español es una persona...

10

Completa la tabla del condicional con las formas que faltan.

	hablar	beber	escribir
yo		bebería	
tú	hablarías		
él/ella/usted		bebería	escribiría
nosotros/nosotras			
vosotros/vosotras			
ellos/ellas/ustedes	hablarían		

	ser	hacer
yo	sería	
tú		harías
él/ella/usted		
nosotros/nosotras		haríamos
vosotros/vosotras		
ellos/ellas/ustedes		

11

Completa la primera persona del condicional simple de los siguientes verbos irregulares.

1. **tener:** ....

2. **decir:** ....

3. **salir:** ....

4. **poner:** ....

5. **saber:** ....

6. **poder:** ....

Relaciona cada enunciado con su intención comunicativa.

1. Oye, ¿tú llamarías a Juan después de lo que me ha hecho?

2. ¿Me llevarías a la estación? Llego tarde.

3. Yo diría que no hay suficiente comida.

4. En este momento, me comería un helado.

5. Viviría de otra manera, si fuera rica.

a. Pide un favor.

b. Expresa un deseo.

c. Pide opinión.

d. Expresa una situación hipotética.

e. Da una opinión atenuada.

Escribe una frase para cada intención comunicativa usando el condicional, como en la actividad anterior.

1. Pide un favor a un compañero de clase o al profesor.

....

....

2. Expresa un deseo que tienes en este momento.

....

....

3. Pide opinión sobre algo que te preocupe a tu compañero o al profesor.

....

....

4. Da tu opinión sobre esta actividad.

....

....

5. Expresa una situación hipotética sobre ti mismo.

....

....

Fíjate en las frases que se construyen con el condicional en el texto de "Si yo fuera…" del Libro del alumno. ¿Qué intención comunicativa de las anteriores crees que tienen?

....

02
¿HAY BUENOS ESTUDIANTES?

15

¿Cómo se expresan las siguientes ideas en el texto de las páginas 24 y 25 del Libro del alumno?

1. No les importa equivocarse.

....

....

2. Son reflexivos y analíticos en su aprendizaje.

....

....

3. Están preparados para enfrentarse a las dificultades.

....

....

4. Son realistas con lo que significa aprender una lengua.

....

....

5. Son autónomos.

....

....

6. Su principal objetivo es la comunicación.

....

....

7. Se divierten practicando la lengua que estudian.

....

....

16

Completa estas frases con información sobre ti y el aprendizaje de lenguas.

1. Me resulta difícil/fácil ....

2. Tengo una actitud positiva/negativa ante ....

3. Siento interés por ....

4. Siempre/Casi nunca me arriesgo a ....

5. Disfruto mucho ....

6. Encuentro dificultades en ....

7. Tengo en cuenta que ....

8. Asumo que ....

9. Me fijo en ....

17

¿Qué estrategias o trucos usas para mejorar tu español?

1. Para ampliar vocabulario sobre un tema que me interesa

....

2. Para mejorar mi comprensión auditiva

....

3. Para mejorar mi pronunciación

....

4. Para corregir errores que siempre cometo

....

5. Para mejorar mi fluidez

....

18

Compara tus respuestas con las de tus compañeros y escribe en tu cuaderno otras estrategias que te pueden ayudar.

Completa la tabla con las formas que faltan.

	ser	ir
yo		
tú	fueras	
él/ella/usted		fuera
nosotros/nosotras		
vosotros/vosotras		
ellos/ellas/ustedes	fueran	

Imagina que estás en estas situaciones y responde, en tu cuaderno, a las preguntas formuladas. Después, compara tus respuestas con dos compañeros. Entre todos elegid las ideas más originales.

1. Si fueras capaz de respirar debajo del agua

1. ¿Cómo sería tu día a día?
2. ¿Cómo te sentirías?
3. ¿Qué te daría miedo?
4. ¿Qué harías por la humanidad?

5. Si fueras tan pequeño como una pulga

1. ¿Cómo sería tu día a día?
2. ¿Cómo te sentirías?
3. ¿Qué te daría miedo?
4. ¿Qué harías por la humanidad?

1. Si fueras capaz de leer el pensamiento

1. ¿Cómo sería tu día a día?
2. ¿Cómo te sentirías?
3. ¿Qué te daría miedo?
4. ¿Qué harías por la humanidad?

5. Si fueras capaz de ver a través de las paredes

1. ¿Cómo sería tu día a día?
2. ¿Cómo te sentirías?
3. ¿Qué te daría miedo?
4. ¿Qué harías por la humanidad?

Si fuera capaz de respirar bajo el agua, viviría en...

Completa estas frases con información sobre ti.

1. Si *ensayo lo que voy a decir*, no me da tanta vergüenza hablar español en público.
2. Si ...., recuerdo mejor el vocabulario nuevo.
3. Si ...., siento que hablo con mayor fluidez.
4. Si ...., la clase pasa más rápido.
5. Si no entiendo bien un texto, ...
6. Si hago muchos ejercicios de gramática en clase, ...
7. Si ...., me divierto mucho en clase.
8. Si tuviera que elegir un libro que leer, ...

22

Completa la tabla con las formas del presente de subjuntivo que faltan.

	contar	pensar	pedir	dormir	mentir	jugar
yo		piense		duerma		juegue
tú	cuentes				mientas	
él/ella/usted		piense	pida			
nosotros/nosotras					mintamos	
vosotros/vosotras						juguéis
ellos/ellas/ustedes	cuenten					

23

Clasifica en la tabla estos verbos irregulares en presente de subjuntivo y conjúgalos en primera persona.
¿Conoces alguno más de cada tipo?

- negar
- divertirse
- adquirir
- atender
- resolver
- servir
- calentar
- sentarse
- vestirse
- esforzarse
- sentirse
- repetir
- defender
- sugerir
- acordarse
- preferir
- morir

Presente de subjuntivo					
-AR/-ER			**-IR**		
o>ue	**e>ie**	**e>i**	**o>ue**	**e>ie**	**i>ie**
	niegue				

24

Completa con la primera persona del presente de subjuntivo de los siguientes verbos irregulares.

1. tener: ....
2. venir: ....
3. poner: ....
4. caer: ....
5. traer: ....
6. ir: ....

7. parecer: ....
8. conocer: ....
9. conducir: ....
10. ser: ....
11. saber: ....
12. caber: ....

13. hacer: ....
14. salir: ....
15. decir: ....
16. dar: ....
17. estar: ....
18. ver: ....

25

Marie da algunas opiniones sobre la clase de español. ¿A qué o a quién puede referirse en estas afirmaciones?

	Las lenguas	Ella misma	Ella y sus compañeros	La motivación	La profesora
1. Es evidente que solo se aprenden en el país donde se hablan.	☐	☐	☐	☐	☐
2. Es posible que encuentre dificultades para expresarme.	☐	☐	☐	☐	☐
3. Creo que es necesaria para aprender una lengua.	☐	☐	☐	☐	☐
4. Es importante que memoricemos el vocabulario.	☐	☐	☐	☐	☐
5. No es cierto que entendamos mejor que hablamos.	☐	☐	☐	☐	☐
6. Está demostrado que contribuye al aprendizaje.	☐	☐	☐	☐	☐
7. Es importante que sea divertida.	☐	☐	☐	☐	☐
8. Es probable que me desanime ante las dificultades.	☐	☐	☐	☐	☐

26 ◀)) 1

Elisa estudia en una academia de idiomas y habla con un amigo sobre las normas de su clase. Escucha la conversación y escribe las normas que menciona.

Normas de la clase de Elisa

1. ....
2. ....
3. ....
4. ....

27 ◀)) 1

Vuelve a escuchar la conversación. Completa la opinión de Elisa sobre las normas y los argumentos que da para defender su opinión.

	Opinión de Elisa	Argumento
1.		
2.		
3.		
4.		

28

Comenta las normas de la clase de Elisa con un compañero. Utilizad los recursos de la página 26 del Libro del alumno.

29

Elige uno de estos temas y escribe un texto explicando tu opinión.

- **Aprendizaje de idiomas: ¿a distancia o presencial?**
- **Normas en la clase: ¿ayudan o dificultan?**

¿ME QUIERE O NO ME QUIERE?

01
LIGAR DESDE EL SOFÁ

1

¿Conoces redes sociales, aplicaciones de contactos o webs de citas? ¿Cómo se llaman? ¿Cuáles son las más populares en la actualidad? ¿Cómo son y cómo funcionan?

1. Redes sociales

....
....
....

2. Aplicaciones de contactos

....
....
....

3. Webs o aplicaciones de citas (para encontrar pareja)

....
....
....

2

Comenta tus respuestas de la actividad anterior con un compañero.

3

Vuelve a leer el texto introductorio de la página 30 del Libro del alumno y completa estas frases con tus propias palabras.

1. Los jóvenes entre 15 y 17 años prefieren ....
.... **para** ....,
pero ....

2. El usuario típico de las aplicaciones de contactos es ....
....

3. Las aplicaciones para buscar pareja estable ....
....

4 ◀)) **2**

Escucha este programa de radio sobre las aplicaciones de contactos y completa la tabla con la información que escuches.

	Su experiencia	¿Lo recomendaría? ¿Por qué?
Clara		
Juan		
Marta		
Jimena		

5

¿Con qué opiniones estás de acuerdo? Discútelo con tus compañeros.

6

Lee los testimonios de las páginas 30 y 31 del Libro del alumno y marca a quién se refieren las siguientes afirmaciones.

	Joaquín	Sergio	Alberto
1. Piensa continuar usando las aplicaciones de contactos en el futuro.	☐	☐	☐
2. Desconfiaba de internet, pero tuvo suerte al usar un portal de contactos.	☐	☐	☐
3. Su actual pareja fue quien tomó la iniciativa de contactar.	☐	☐	☐
4. Es un usuario activo de las redes sociales.	☐	☐	☐
5. Para él, su pareja sigue siendo la misma que cuando se conocieron.	☐	☐	☐
6. No tiene muy buena opinión sobre las relaciones que se establecen a través de internet.	☐	☐	☐

7 3-5

Vuelve a escuchar a Raquel, a Julieta y a Laura. ¿A quién se refiere cada afirmación?

	Raquel	Julieta	Laura
1. Pasa mucho tiempo en las redes sociales.	☐	☐	☐
2. Conoció a su pareja hace muchos años.	☐	☐	☐
3. Tiene hijos con su pareja.	☐	☐	☐
4. Tuvieron buena conexión en cuanto se conocieron.	☐	☐	☐
5. No pasan mucho tiempo juntos.	☐	☐	☐
6. Está casada con su pareja.	☐	☐	☐

8 3-5

Resume cada tipo de relación en una frase. Vuelve a escucharlas si lo necesitas.

1. La relación de Raquel es ....

....

2. Julieta tiene una relación ....

....

3. Laura está en una relación ....

....

9 5

Vuelve a escuchar la conversación entre Laura y su amigo y fíjate en los recursos resaltados. Relaciónalos con los siguientes mecanismos para la cooperación en una conversación. ¿Qué hace el interlocutor en cada caso?

1. Reacciona demostrando sorpresa.
2. Completa la información inmediatamente anterior.
3. Repite las palabras del interlocutor.
4. Da la razón.
5. Pide más información y hace preguntas.
6. Desmiente una información.

– Pues yo conocí a mi marido en el instituto.

– **¡Anda!** ⬚

– Tenía yo... 15 años.

– **De niños, niños.** ⬚

– **Niños.** Y él, 16, imagínate. Éramos muy jóvenes y yo pensaba..., pues que sería el típico amor del cole. ⬚

– **Claro, pasajero.** ⬚

– **Y mira, no.** Llevamos 40 años juntos. ⬚

– **¿40 años?** ⬚

– **40.** Fuimos a la universidad juntos, también. Aunque, bueno, él no terminó la carrera. ⬚

– Ah, **¿no? ¿Por qué?** ⬚

– No. Se tuvo que poner a trabajar.

– Ah, **claro**... ⬚

–Y en esa época, pues nos veíamos poco y fue una época... un poco difícil. Pero, bueno, lo superamos, nos casamos y, después, tuvimos a los mellizos.

– **¡Anda, mellizos!** ⬚

–Sí, sabes que los niños, los dos, son mellizos. ⬚

– **Sí.** ⬚

– Y, bueno, pues las cosas se complicaron un poco más..., pero, bah, nos acabamos organizando y...

(...)

10

Completa estas breves historias con las perífrasis adecuadas en el tiempo correcto.

1.

• **dejar de hablar**
• **seguir sin hablar**

Andrea conoció a Marcos en el instituto. Un día él le copió un trabajo y ella le ....

Aunque fueron juntos a la universidad y estudiaron la misma carrera, ella.. durante los dos primeros años.

2.

• **llevar ... sin enviarse**
• **dejar de escribirse**

Martina conoció a Marcelo a través de una página de contactos. Se escribieron muchos mensajes al principio, pero luego se cansaron y ....

Ahora, ...más de siete meses .... ningún mensaje.

3.

• **ponerse a trabajar**
• **acabar trabajando**

En 2015 Arturo dejó sus estudios porque tenía que mantener a su familia y .... en una cafetería.

Las cosas le fueron muy bien y .... de gerente de la empresa.

4.

• **acabar de presentar**
• **ir mejorando**

Marcela se independizó a los 18 años. Como tenía que trabajar durante el día, estudiaba la carrera de Psicología por las noches. Aunque al principio le costó, sus notas .... gradualmente y ahora .... con éxito su trabajo de fin de grado.

11

¿Recuerdas la historia de Ana y Gabriel? Mira las imágenes y escribe la historia en tu cuaderno usando las perífrasis adecuadas para cada viñeta. Comprueba después con el Libro del alumno.

1. Ana y Gabriel se

conocieron...

12

Lee este texto en el que María habla sobre su mejor amiga. Completa con las perífrasis correspondientes.

> **dejar de** + infinitivo
> **ponerse a** + infinitivo
> **acabar de** + infinitivo
> **llevar sin** + infinitivo
> **ir** + gerundio
> **acabar** + gerundio
> **empezar a** + infinitivo (dos veces)

Conocí a Elena, mi mejor amiga, cuando .... ir a la universidad. Yo había estado trabajando en una escuela infantil cuando decidí .... estudiar. Me matriculé en Psicología y el primer día de clase me senté al lado de una chica rubia bastante simpática. .... hablar y nos caímos muy bien. Durante toda la carrera, estudiamos juntas y fuimos preparando juntas también los diferentes exámenes y trabajos. .... vernos poco después de acabar la carrera: yo tuve suerte y encontré un trabajo en un gabinete psicológico, ella se mudó a Roma con su novio y .... trabajando como secretaria en un despacho de Arquitectura. .... más de seis años .... vernos cuando ella volvió a vivir a Zaragoza y reanudamos el contacto. Además, ahora también somos compañeras de trabajo: .... trabajar en la misma consultoría que yo.

13

Escribe un texto sobre tu relación con tu mejor amigo o amiga, utilizando las perífrasis de la actividad anterior.

Conocí a...

14

Marca cuál de estas afirmaciones se cumplen en tu caso y añade otras dos del mismo tipo.

1. He dejado de hacer una actividad recientemente. ☐

2. He estado unos años sin hablarle a una persona. ☐

3. He vuelto a ver a un compañero de la escuela. ☐

4. He acabado haciendo algo que nunca imaginé que haría. ☐

5. Llevo más de tres años estudiando español u otra lengua. ☐

6. Llevo más de una semana sin hablar con mi mejor amigo. ☐

7. Acabo de conocer a alguien interesante. ☐

8. Acabo de aprender algo nuevo o sorprendente. ☐

9. Hay algo que quiero hacer desde hace tiempo, pero no he empezado aún. ☐

10. Sigo viviendo con mi familia. ☐

11. ....

12. ....

15

Comenta tus respuestas con tus compañeros y haceos preguntas para obtener más información.

—¿Has dejado de hacer alguna actividad recientemente?
—Sí, hace dos meses dejé la escuela de baile a la que iba. No tengo tiempo con los exámenes...

16

Completa los siguientes diálogos con los pronombres que faltan.

1.

– ¿Cuánto tiempo llevas escribiendo esta novela?

– Pues .... llevo escribiendo unos dos años.

2.

– ¿Saben cuándo llegarán las nuevas muestras? Es que las necesito con urgencia para enseñárselas a unos clientes.

– .... acabamos de enviar hace unos minutos; suponemos que llegarán esta misma tarde.

3.

– ¿Cómo fue el cumpleaños de los abuelos? ¿Pepín les leyó el poema que había escrito?

– Bueno... ya lo conoces, es un niño muy tímido, así que .... empezó a leer antes del postre, pero luego le entró vergüenza y se escondió debajo de la mesa.

4.

– ¿Ya has vendido los muebles de tu antiguo piso?

– No, no, todavía .... sigo guardando en el trastero, es que no quiero desprenderme de ellos, les tengo mucho cariño.

17

¿En qué otra posición pueden ir los pronombres? Escribe el resto de las posibilidades en tu cuaderno.

02
BUSCANDO A TU MEDIA NARANJA

Escucha este podcast sobre el mito de la media naranja y responde a las preguntas con tus propias palabras.

1. ¿Cuál es el origen de esta creencia?

....
....
....
....

2. ¿Cómo se nota la presencia de este mito en los medios de comunicación?

....
....
....
....

3. ¿Por qué provoca ansiedad?

....
....
....
....

4. ¿Cuál es el gran error de esta creencia?

....
....
....
....

5. ¿Cuál es la conclusión del autor?

....
....
....
....

Vuelve a escuchar el podcast y cuenta con tus propias palabras el mito de Platón de la media naranja.

¿Estás de acuerdo con estas afirmaciones? ¿Por qué? Discútelo con un compañero.

1. Los medios de comunicación intentan convencernos de que debemos buscar el amor perfecto.

2. Sin la idea de la media naranja, el amor se vuelve aburrido y poco emocionante.

3. La idea de que existe nuestra media naranja crea mucha ansiedad.

4. La felicidad es un estado interior y depende solo de nosotros alcanzarla.

5. La media naranja existe, pero no es fácil encontrarla.

Este mito cuenta...

_____
_____
_____
_____

21

Además del mito de la media naranja, existen otras creencias sobre el amor.
Marca tu grado de acuerdo con las siguientes.

	Nada de acuerdo	De acuerdo en algún caso	Totalmente de acuerdo
1. EXCLUSIVIDAD. **No puedes enamorarte realmente de dos personas a la vez.**	☐	☐	☐
2. CELOS. **Si tu pareja es muy celosa, eso significa que te quiere mucho. Los celos son una prueba de amor.**	☐	☐	☐
3. ENAMORAMIENTO ETERNO. **Si tu pareja ya no está apasionadamente enamorada, eso significa que se acabó el amor y lo mejor es acabar con la relación.**	☐	☐	☐
4. CAMBIO POR AMOR. **No importan los defectos de tu pareja, si te ama de verdad los cambiará.**	☐	☐	☐
5. EMPAREJAMIENTO. **Encontrar el amor significa encontrar a la persona que da sentido a tu vida.**	☐	☐	☐
6. OMNIPOTENCIA. **El amor lo puede todo, el amor es suficiente para solucionar todos los problemas y justificar todas las conductas.**	☐	☐	☐

 22

Compara tus respuestas con dos compañeros. ¿Pensáis lo mismo?

 23

Vuelve a leer las respuestas de José Luis de las páginas 34 y 35 del Libro del alumno, y completa una ficha de la persona ideal para él.

Edad: ....

Profesión: ....

Gustos: ....
....

Hábitos: ....
....

Manías: ....
....

Carácter: ....
....

Otros: ....
....

 24

Compara tu ficha con las de dos compañeros y decidid cuál puede ser la pareja ideal para José Luis.

 25

Completa con la primera persona del imperfecto de subjuntivo como en el ejemplo.

tener: *tuviera* / *tuviese*

ser / ir: .... / ....

decir: .... / ....

estar: .... / ....

querer: .... / ....

venir: .... / ....

hacer: .... / ....

sentir: .... / ....

dormir: .... / ....

pedir: .... / ....

leer: .... / ....

conducir: .... / ....

construir: .... / ....

dar: .... / ....

saber: .... / ....

26

Completa la tabla del pretérito imperfecto de subjuntivo con las formas que faltan.

cantar		
yo		cantase
tú	cantaras	
él/ella/usted	cantara	
nosotros/nosotras		cantásemos
vosotros/vosotras	cantarais	
ellos/ellas/ustedes		cantasen

beber		
yo	bebiera	
tú		bebieses
él/ella/usted		bebiese
nosotros/nosotras	bebiéramos	
vosotros/vosotras		bebieseis
ellos/ellas/ustedes	bebieran	

vivir		
yo		viviese
tú	vivieras	
él/ella/usted		
nosotros/nosotras		viviésemos
vosotros/vosotras	vivierais	
ellos/ellas/ustedes	vivieran	

 27

Completa las siguientes frases con el verbo en condicional o en imperfecto de subjuntivo.

1.

– Tengo un dilema muy grande. Mi pareja es vegana y quiere que yo me haga vegano también. La verdad es que no sé qué hacer…

– Pues yo, si mi esposa me lo (pedir) ...., le (decir) .... que no. No veo por qué tenemos que ser veganos los dos.

2.

Si (ser) .... más joven, (dejar) .... mi trabajo y (viajar) .... uno o dos años por el mundo, (dedicarse) .... a conocer nuevos países.

3.

– ¿Tú qué (hacer) .... si te (ofrecer) .... mucho dinero por aparecer desnudo en una revista?

– ¡Qué dices! No lo (hacer) .... en ningún caso, me (dar) .... mucha vergüenza.

4.

– Solo (casarse) .... con Marcelo si me lo (pedir) .... en público, (arrodillarse, él) .... y me (ofrecer) .... un anillo.

– Chica, ¡qué exagerada, tú has visto muchas películas!

28

¿Qué harías tú en las siguientes situaciones? Completa las frases.

1. Si mi mejor amigo no se llevara bien con mi pareja,

....

2. Si un nuevo compañero de trabajo o de estudios me pidiera dinero, ...

....

3. Si tuviera que dar un discurso delante de cien

personas, ...

....

4. Si de repente viera en la calle a la persona que

más admiro en el mundo, ...

....

5. Si me propusieran participar en un *reality*

show, ...

....

6. Si alguien me declarara su amor delante de mis

amigos, ...

....

29

Completa las siguientes frases según tus propias experiencias.

1. Me quedaría sin palabras si ....

....

2. Pasaría mucha vergüenza si ....

....

3. Me sentiría contentísimo si ....

....

4. No iría de vacaciones si ....

....

5. Solo dejaría de estudiar español si ....

....

6. Me mudaría a una ciudad que no me gustara

nada solamente si ....

30

Lee el siguiente texto y relaciona después cada pregunta con la respuesta adecuada.

36 preguntas para conocerse

En 1997 el psicólogo Arthur Aron creó un cuestionario de 36 preguntas para que compañeros de trabajo se conocieran mejor y para crear un ambiente de cercanía. Años más tarde se publicaron en *The New York Times* y se sugirió que podían servir para que una pareja se conociera y se enamorara.

Hemos hecho el experimento con dos de nuestros redactores que no se conocían antes. Estas son algunas de sus respuestas.

1. Si pudieras elegir a cualquier persona en el mundo, ¿a quién invitarías a cenar?

2. ¿Te gustaría ser famoso? ¿De qué forma?

3. ¿Cuándo fue la última vez que cantaste a solas? ¿Y para otra persona?

4. Si mañana te pudieras levantar disfrutando de una habilidad o cualidad nueva, ¿cuál sería?

5. ¿Cuándo fue la última vez que lloraste delante de alguien? ¿Y a solas?

6. ¿Qué es lo que más valoras en un amigo?

a. Me gustaría ser invisible para poder ver lo que hacen mis amigos cuando yo no estoy.

b. Hace muy poco, viendo una película con un final muy triste.

c. Que sea sincero, que no me mienta.

d. No, para nada, debe de ser muy difícil estar expuesto al público a todas horas, sin ninguna intimidad.

e. A Quim Gutiérrez, el actor, me parece encantador, y muy guapo...

f. ¿A solas? Pues ayer mismo, mientras limpiaba la casa. Nunca canto en público, canto muy mal.

31

Busca el cuestionario completo en internet y responde a las preguntas. Compara tus respuestas con un compañero. ¿Te sorprende alguna?

32

Completa las frases con el verbo entre paréntesis en la forma correcta de indicativo o subjuntivo.

1. Busco a una chica que (saber) .... inglés, ayer hablé con ella.

2. Busco a una chica que (saber) .... polaco, ¿sabes si hay alguna en vuestra empresa?

3. Mauricio quiere conocer a alguien que (hablar) .... español y que (ser) .... surfista como él, se siente solo en Australia.

4. Alejandro quiere volver a ver a una chica con quien (chatear) .... ayer y que también (ser) .... estudiante de música.

5. No conozco a nadie que (poder) .... reparar mi lavadora antes del sábado.

6. Conozco a alguien que (poder) .... pintarte el comedor esta misma tarde.

7. Hay pocas personas que (tener) .... tantos conocimientos de informática como Luisa.

8. Veo que en su currículum pone que (tiene) .... dominio de lengua china.

 33

Completa las frases con información personal.

1. Tengo un amigo que / con quien ....
....

2. Quiero conocer a alguien que / a quien / con quien .....
....

3. Vivo en un lugar en el que / donde ....
....

4. Conozco a alguien que / a quien/ con quien ....
....

5. No conozco a nadie que / con quien ....
....

 34

Estas personas expresaron sus deseos hace un año. Completa con la forma adecuada en cada caso.

1. Alejandro

Acabo de publicar por mi cuenta un libro de relatos en español y quiero editarlo en otras lenguas. Conozco a un traductor que (poder) .... traducirlo al inglés, y estoy todavía buscando a alguien que lo (traducir) .... al francés.

2. Serafina

Estoy cansada de mi trabajo. Tengo compañeros de trabajo con los que (llevarse) .... muy bien y un jefe que (saber) .... valorarme. Sin embargo, después de unos años se me ha hecho monótono y necesito cambiar. Espero conseguir un trabajo que (ser) .... más motivador y que me (permitir) .... afrontar nuevos retos.

3. Rodrigo

Mi esposa y yo hemos comprado la casa de nuestros sueños. Ya hemos hablado con un diseñador que (decorar) .... la casa de unos buenos amigos el año pasado, pero, en realidad, queremos contratar a uno que (saber) .... de Feng Shui. Creo que va a ser difícil porque no conocemos a ninguno.

4. Rosa

Me encanta la cocina y hace unos años creé un blog de repostería que (tener) .... miles de seguidores. Ahora tengo muchas ideas para crear una aplicación, pero todavía no he encontrado a un informático que las (saber) .... desarrollar como yo he pensado.

35

Completa las frases con la forma verbal adecuada. ¿Quién consiguió sus deseos?

1. Alejandro

Buscaba a alguien que (traducir)............................ mi libro al francés y encontré a un estudiante de Traducción que lo (hacer)

.... a buen precio.

2. Serafina

Hace un año esperaba conseguir un empleo que (ser)............................ más motivador y, por eso, quería cambiar de trabajo. Poco después, mi jefe me ofreció un puesto que me (hacer)

.... cambiar de idea y me quedé en la empresa. Ahora tengo más responsabilidades y retos que afrontar.

3. Rodrigo

Necesitábamos encontrar a alguien que (saber)............................ de Feng Shui para amueblar nuestra casa y , ¡qué suerte!, el experto que (contratar)............................ lo hizo genial.

4. Rosa

Necesitaba encontrar a un buen informático que (desarrollar)............................ mi aplicación de repostería. Por desgracia, el informático que me (recomendar)............................ no era muy responsable y dejó el trabajo sin terminar.

> Consiguieron sus deseos:............................
>
> ....
>
> ....

 36

Escribe en tu cuaderno cuatro deseos que hace tiempo querías conseguir, siguiendo el modelo de la actividad anterior. ¿Los has conseguido?

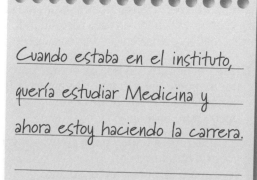

Cuando estaba en el instituto, quería estudiar Medicina y ahora estoy haciendo la carrera.

 37

Completa las siguientes frases de manera lógica.

1. A Santi le regalaron un dron, pero no entendía cómo funcionaba, así que buscó en internet un tutorial que..........................

....

....

2. El año pasado Julieta no quería viajar sola a Islandia, buscaba un amigo que............................

....

....

3. Ayer se me estropeó el ordenador a las 23.00 y no encontré a nadie que............................

....

....

4. Hace medio año Martín y Álex querían celebrar su décimo aniversario de boda con una gran fiesta y buscaban a alguien que............................

....

....

5. Cuando se mudó a Milán, Dani quería conocer a alguien que............................

....

....

38

Lee estas frases que describen a varias personas y elige el gradativo adecuado en cada caso. Cuando hay dos posibilidades, piensa en la diferencia de significado.

1. Han despedido a la jefa de ventas porque era nada / poco / muy competitiva y no consiguió mejorar los beneficios de la empresa; era nada / poco / muy agresiva.

2. Ricardo no era nada / poco / muy urbanita y prefirió quedarse con su trabajo de pastor en el pueblo a mudarse a la capital.

3. No logró ser presidente de la compañía porque era nada / poco / muy ambicioso, se conformó con tener el control de la filial española.

4. Francisco es nada / poco / muy cariñoso, todos sus sobrinos lo adoran; además, no es nada / bastante / muy impaciente, siempre tiene ganas de jugar con ellos, los escucha y habla mucho con ellos.

5. Carina es poco / un poco / bastante despistada, este mes se ha dejado las llaves en casa dos veces.

39

¿Y tú? ¿Conoces a alguien parecido a las personas de la actividad anterior? Coméntalo con un compañero.

Mi amigo Fernando es bastante despistado, bueno, en realidad es muy despistado porque ha perdido muchas veces la cartera, se ha dejado el paraguas…

40

Piensa en cómo eres tú al relacionarte con la gente (en fiestas, reuniones sociales, en clase…) y escribe un texto sobre ello.

Yo soy bastante reservado.

Al principio me cuesta un poco

hablar con gente nueva, pero…

41

Prepara un test para encontrar al mejor compañero de trabajo, de viaje o de piso. Decide las situaciones y las respuestas posibles. Sigue el modelo de cuestionario de la página 34 del Libro del alumno.

¿Eres un buen compañero de ....**?**

1. Si..
• ....
• ....
• ....

2. Si..
• ....
• ....
• ....

3. Si..
• ....
• ....
• ....

4. Si..
• ....
• ....
• ....

5. Si..
• ....
• ....
• ....

42

Ahora, pasa el cuestionario a tus compañeros de clase para que lo contesten. ¿A quién eliges como mejor compañero?

03
EL REENCUENTRO

 43

Explica estas citas sobre el amor con tus propias palabras en tu cuaderno. Luego elige dos
que te parezcan interesantes y expresa tu opinión sobre ellas.

"Si no recuerdas la más ligera locura en que el amor te hizo caer, no has amado". WILLIAM SHAKESPEARE

"El amor es una droga, y todo drogadicto cree que no puede sobrevivir sin la sustancia a la que está enganchado". ROSA MONTERO

"El amor nunca muere de muerte natural. Se muere porque no sabemos cómo reponer su fuente. Muere de ceguera, de errores y traiciones. Se muere de enfermedades y heridas; se muere de cansancio". ANAÏS NIN

"No hay nada que no haría por aquellos que son realmente mis amigos. No tengo ni idea de amar a la gente a medias, no es mi naturaleza". JANE AUSTEN

"Amar no es mirarse el uno al otro; es mirar juntos en la misma dirección". ANTOINE DE SAINT-EXUPÉRY

"El amor es una bellísima flor, pero hay que tener el coraje de ir a recogerla al borde de un precipicio". STENDHAL

"La capacidad de reír juntos es el amor". FRANÇOISE SAGAN

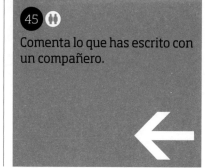

 44

¿Qué es para ti el amor? Escribe una cita como las de la actividad anterior.

45 🔆

Comenta lo que has escrito con un compañero.

46

En el relato de Rosa Montero aparecen los pensamientos y las reacciones de Tomás. ¿Cómo imaginas los pensamientos y las emociones de Rosario?

EL REENCUENTRO

– Perdone.

– Vaya, pero si eres tú.

– Pues sí, soy yo. ¡Estás igual!

– Tú también.

Rosario se sintió...

– Acabo de llegar hace un par de días y ya no me voy más. Se acabó la aventura americana.

– Te debo carta, por cierto.

– No te preocupes; ahora ya me podrás decir las cosas cara a cara, o por teléfono.

– ¿Qué tal te va la vida?

– Bien. bueno... Sí, bien. ¿Y a ti?

– Muy bien. Ya ves. En pleno cambio.

– ¿Sigues teniendo el mismo piso que antes?

– Sí. Y tú, ¿dónde vas a vivir?

– Oh, ahora, de momento, estoy en casa de mi hermana, pero me estoy buscando un apartamento. Quiero comprar algo.

– Bueno, Tomás, me voy a tener que ir. A ver si un día quedamos y comemos.

 47

Ahora compara tu texto con el de un compañero. ¿Tiene Rosario los mismos pensamientos en los dos textos? ¿En qué son diferentes?

48

¿Qué sentimientos te provoca la situación descrita en el relato: risa, nostalgia, tristeza...? ¿Qué sentirías en una situación parecida: incomodidad, alivio...? Escríbelo.

49

Lee este poema de Vanesa Pérez-Sauquillo sobre el amor y el desamor, y responde a las preguntas en tu cuaderno.

Este es mi contestador automático

Este es mi contestador automático.
Para herir, simplemente, marque 1.
Para contar mentiras que me crea, marque 2.
Para las confesiones trasnochadas, marque 4.
Para interpretaciones literarias
producto del alcohol, marque 6.
Para poemas, marque almohadilla.
Para cortar definitivamente la comunicación,
no marque nada, pero tampoco cuelgue,
titubee en el teléfono
(a ser posible durante varios meses)
hasta que note que voy abandonando el aparato
a intervalos de tiempo cada vez más largos.
No desespere. Aguante.
Espere a que sea yo la que se rinda.
Le evitará cualquier remordimiento.
Gracias.

Vanesa Pérez-Sauquillo

1. ¿Cómo se siente la poeta?

2. ¿Qué piensas que ha sucedido?

3. ¿Te ha gustado el poema? ¿Por qué?

50 Comenta tus respuestas con un compañero.

51 Inventa la historia de amor entre la poeta y su expareja.

52

Completa las frases con el verbo y los pronombres adecuados, si es necesario. Escoge también el tiempo verbal.

┌─────────────────────┐
│ • **casarse con** │
│ • **casarse** │
└─────────────────────┘

1. Stefan y Pablo .... hace seis años en el ayuntamiento de su pueblo.

2. Ricardo .... ayer con su novia de toda la vida.

┌─────────────────────┐
│ • **divorciarse de** │
│ • **divorciarse** │
└─────────────────────┘

3. Marta y Pedro .... hace un mes por problemas de compatibilidad. No era la primera vez para Pedro; ya .... su primera esposa hacía cinco años.

┌─────────────────────┐
│ • **besar** │
│ • **besarse** │
└─────────────────────┘

4. Después de la ceremonia, los novios .... con pasión. Luego el novio se acercó a su suegra y la .... con cariño.

┌─────────────────────┐
│ • **conocerse** │
│ • **conocer a** │
└─────────────────────┘

5. Pedro .... su mejor amiga durante un viaje a Nápoles.

6. Fede y Ramón .... desde hace muchos años.

┌─────────────────────┐
│ • **pelearse** │
│ • **pelearse con** │
└─────────────────────┘

7. Natalia y Carmen .... cada dos por tres por cosas insignificantes.

8. Anteayer Fran .... su padre porque no le dejó ir al concierto.

53

Escribe frases como las de la actividad anterior utilizando estos verbos.

1.

odiar a: ....

....

odiarse: ....

....

2.

enamorarse: ....

....

enamorarse de: ....

....

3.

caer bien a: ....

....

caerse bien: ....

....

54

Localiza en el texto de la página 41 del Libro del alumno las frases donde aparecen los verbos **antojar**, **armar** y **discar**, y reformúlalas utilizando otras palabras.

1. ....

....

....

2. ....

....

....

3. ....

....

....

55

En parejas, interpretad el diálogo. Imaginad cómo se sienten los personajes e intentad expresar los sentimientos con gestos y mediante la entonación. ¿Podéis aprender vuestro papel de memoria?

> Mujer: ¿Olá?
> Gómez: Buenas noches.
> Mujer: ¿Con quién quiere hablar?
> Gómez: Con nadie en especial. Me estoy yendo del país y quise llamar a alguien, para despedirme.
> Mujer: ¿Y por qué a mí? ¿Usté me conoce?
> Gómez: No, no creo. Yo disqué cualquier número. Disqué el número que más me gustó.
> Mujer: Y en qué se va. ¿En avión?
> Gómez: No. En tren.
> Mujer: Espéreme un segundo.
> Gómez: ¿Qué va a hacer? ¿Rastrear la llamada?
> Mujer: No. Voy a buscar mis cosas. Quiero irme con usté.

56

Busca en internet otro cuento o una canción de Leo Maslíah que te guste. En clase, preséntaselo a tus compañeros.

> - • **cómo se titula**
> - • **qué personajes aparecen**
> - • **de qué trata**
> - • **qué sucede en el relato**
> - • **por qué lo has escogido**

Mi relato se llama 'La tortuga' y lo he escogido porque me parece muy divertido...

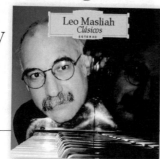

57

Lee el final del cuento de Leo Maslíah y escribe estas seis frases donde corresponda.

> - **–Otra vez será –dijo.**
> - **–Si –dijo él–. Apúrese. Este es el tren. Saque su pasaje y vamos a subir.**
> - **–Ah. ¿Es usté?**
> - **–Sí –dijo él, y corrió hacia el tren.**
> - **–Devuelva su pasaje –propuso ella–. Después sacamos dos pasajes para mañana.**
> - **–Voy para allá. Me tomo un taxi –dijo ella, y colgó.**

Gómez sintió que un escalofrío caliente le recorría el cuerpo.

– Apúrese –dijo–. El tren sale dentro de 25 minutos.

– (1) ....

Gómez se fumó cuatro cigarrillos. Se acercó al andén. Ya toda la gente había subido, y algunos parientes y amigos de los que viajaban se tomaban con estos de las manos a través de las ventanillas abiertas.

– Hola- dijo de pronto una voz, muy cerca de Gómez.

– (2) ....

– Sí. Usté también.

– (3) ....

– No tengo plata – contesto ella–. ¿No me lo puede sacar usté?

– No –dijo él–. Solamente tengo dólares y no hay tiempo para cambiarlos. El tren se va, ya es la hora.

– (4) ....

– Ya es tarde –dijo él –. Hasta diez minutos antes de la hora de salida se pueden devolver los pasajes, después no. Lo sé porque trabajé muchos años en el ferrocarril. Y además de todo yo no tendría por qué pagarle un pasaje a usté.

El tren empezó a moverse. Gómez besó a la mujer.

– (5) ....

– Sí, tal vez en otra ocasión –dijo ella.

– (6) ....

ARCHIVO DE LÉXICO

58

Completa las series. Puede haber más de una posibilidad.

- cariño
- antipatía
- atracción
- odiado/a
- adoración
- atraído/a
- adorado/a
- manía
- afecto
- admirado/a
- odio
- querido/a
- simpatía
- pasión

sentir ❯ *cariño* ....

❯ ....

❯ ....

sentirse ❯ ....

❯ ....

❯ ....

tenerle ❯ ....

❯ ....

❯ ....

59

Elige cuatro expresiones de la actividad anterior y describe cómo se comporta una persona que experimente ese sentimiento.

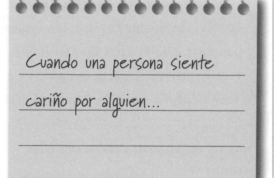

Cuando una persona siente cariño por alguien...

60

Completa las frases con las expresiones del recuadro en la forma adecuada.

- ser muy detallista
- tener un carácter brusco
- tener mucho tacto
- ser muy inconstante
- saber escuchar

1. Mi amigo Ramón ....: este año ya ha cambiado tres veces de empleo.

2. Todos sus amigos hablan con Ana siempre que tienen algún problema; ella ....muy bien, no juzga y es muy empática.

3. Marcela ....: nunca se olvida de los cumpleaños de sus amigos y los felicita personalmente.

4. Cristián no es la persona más adecuada para atender al público, ... y no sabe decir las cosas con amabilidad.

5. Nerea ....: sabe cómo decir las cosas a sus alumnos sin que se enfaden.

61

¿Cómo traducirías a tu lengua las expresiones del recuadro de la actividad anterior?

62

Redacta una frase para cada expresión del recuadro.

```
• tener facilidad de palabra
• tener poco sentido del humor
• ser honesto
• tener confianza en sí mismo
• ser una persona espontánea
• estar abierto a nuevas culturas
```

1. ....
....
....

2. ....
....
....

3. ....
....
....

4. ....
....
....

5. ....
....
....

6. ....
....
....

 63

Escribe en cada caso el nombre de alguien que conozcas que tenga estas características.

1. Es un maniático del orden.

Mi amigo Fernando.
....

2. Tiene mucho sentido del humor.

....

3. Es muy detallista.

....

4. Tiene facilidad de palabra.

....

5. Está abierto a nuevas experiencias.

....

6. Tiene un carácter fuerte.

....

7. Tiene mucho tacto.

....

ESCRITURA

64

¿Cómo se conocieron tus abuelos? Habla con ellos o con alguien que conozca su historia y pregúntales cómo se conocieron y cómo fue su vida en común. Toma notas y luego escribe un texto como el de César de la página 33 del Libro del alumno.

— se conocen en...

— se casan en...

—...

65

¿Han cambiado las costumbres en tu entorno respecto a la familia, el matrimonio y la vida social? Anota en una lista lo que era normal hace 50 años y en otra lo que era poco habitual.

Normal	Poco habitual
En mi pueblo era habitual que la gente se conociera muy bien.	

66

Redacta un texto comparando la situación de hace 50 años con la actual. Utiliza los siguientes conectores del discurso u otros que conozcas.

- • (y) también / además como; porque; (y) por eso
- • ni / o entonces; o sea, que
- • pero; sin embargo; en cambio; así que

Hace años en mi pueblo lo habitual era que la gente se conociera muy bien; en cambio, ahora no hay mucho contacto entre los vecinos.

67 (II)

Lee este poema titulado *El desayuno* y responde a las preguntas.

El desayuno, Luis Alberto de Cuenca

Me gustas cuando dices tonterías,
cuando metes la pata, cuando mientes,
cuando te vas de compras con tu madre
y llego tarde al cine por tu culpa.
Me gustas más cuando es mi cumpleaños
y me cubres de besos y de tartas,
o cuando eres feliz y se te nota,
o cuando eres genial con una frase
que lo resume todo, o cuando ríes
(tu risa es una ducha en el infierno),
o cuando me perdonas un olvido.
Pero aún me gustas más, tanto que casi
no puedo resistir lo que me gustas,
cuando, llena de vida, te despiertas
y lo primero que haces es decirme:
«Tengo un hambre feroz esta mañana.
Voy a empezar contigo el desayuno».

1. ¿Cuál es el tema del poema?

....

....

2. ¿Usa un vocabulario sencillo y cotidiano o complejo y artificial?

....

....

3. ¿Cómo interpretas este verso: "Tu risa es una ducha en el infierno"?

....

....

4. ¿Cómo interpretas los dos versos finales?

....

....

5. ¿Qué opinas del poema: es original, sencillo, atrevido...?

....

....

68 (II)

Compara tus respuestas con las de un compañero.

1. El tema de

este poema es...

69

Escribe una nueva versión del poema desde el punto de vista de la mujer que lo recibe. ¿Qué dice ella sobre él?

Me gustas cuando ....,

cuando ...., cuando ....,

cuando ....

y ....,

Me gustas más cuando ....

y ....,

o cuando ....,

o cuando ....

...., o cuando ....

(..),

o cuando ....
Pero aún me gustas más, tanto que casi
no puedo resistir lo que me gustas,

cuando, ...
y lo primero que haces es decirme:

«..

....».

¿ES VERDAD O ES MENTIRA?

01
¿ESTAMOS BIEN INFORMADOS?

1

Estas frases resumen ideas de la entrevista con el periodista Eduardo Martín de Pozuelo. Complétalas con una palabra o un grupo de palabras posible en cada caso.

1. **Recibimos** *demasiada* **información.**

2. **Muchas veces es complicado** .... **lo que es verdad y lo que no lo es.**

3. **Al final leemos y escuchamos lo que** .... **leer y escuchar.**

4. **Twitter, Facebook o los periódicos digitales pueden ser una buena herramienta para** .... **opiniones e informaciones.**

5. **Es aconsejable** .... **periodistas concretos. Hay periodistas que informan mejor, independientemente del medio en el que trabajan.**

6. **Una clave importante es que dar información y dar opinión deben ser siempre** .... **totalmente diferentes.**

2

Compara tus frases con un compañero. ¿Habéis utilizado las mismas palabras? ¿Se os ocurren otras?

3

Lee de nuevo las citas del periodista Eduardo Martín de Pozuelo en la página 47 del Libro del alumno y tradúcelas a tu lengua. Busca a un compañero que tenga la misma lengua materna y comparad las traducciones. ¿Son muy diferentes?

4

¿Con qué frase de la actividad 1 puedes relacionar cada uno de estos fragmentos de la entrevista con Eduardo Martín de Pozuelo?

a. (...) con tal volumen de datos que llegan de manera instantánea a todo el mundo (...) es muy difícil que la ciudadanía pueda asimilar todo lo que sucede. ....

b. – ¿Qué hay que hacer para estar bien informado?
– Pues ser crítico con lo que se recibe. No creérselo todo de por sí. Ponerlo en duda. Y entonces tratarlo de "recomprobar". ¿Cómo lo puedes recomprobar? Pues precisamente las redes sociales y los medios nos dan la posibilidad de encontrar otras opiniones sobre ese mismo hecho. ....

c. El periodista que no es honesto no es periodista. Una cosa es el periodismo y otra, la propaganda. El periodista es otra cosa. El problema que hay actualmente en el mundo, general: que se mezcla la información con la opinión. ....

d. Yo recomiendo, de todas maneras, como periodista profesional, a la gente que lee prensa, a la gente que ve televisión, escucha radio… que se fije mucho a quién escucha, que se fije en los nombres más que en los medios, sí, que crea en las personas. Hay unas personas que informan mejor que otras. ....

5

Lee la transcripción completa de la entrevista y busca cinco palabras o secuencias de palabras que son para ti nuevas y quieres recordar. Escríbelas.

6

Comparte tus palabras con un compañero y muéstrale dónde aparecen en la transcripción de la entrevista. Resumid después en un párrafo las ideas principales de la entrevista usando el máximo número posible de elementos de vuestras listas.

7

Las respuestas de estos tuits se han mezclado. ¿Cuáles corresponden a cada uno? Relaciónalas.

1.

chema_7 ✓
@jm_chema
[Follow]

Los amantes de Praga me ha parecido, sin duda, la obra culmen del cineasta Paco Tapia, la mejor interpretada, la más sólida de su aún breve carrera cinematográfica. Un autor que debe seguirse y una propuesta en la cartelera que no puede perderse nadie este otoño.

2.

sara.sa ✓
@sara_sa
[Follow]

Ayer volamos con @aeroflight a México: retraso de 2 horas en la salida y esperando dentro del avión. Falta total de información por parte del personal, asientos incómodos y una comida en vuelo muy mejorable. Comparte, por favor, si tu experiencia con ellos ha sido la misma.

3.

jct ✓
@jc_tt
[Follow]

La culpa de que Granada siga sin acceso por ferrocarril es sobre todo del Ministerio de Fomento y de las autoridades locales, claro, pero también de todos los ciudadanos que no nos hemos movilizado lo suficiente estos últimos años. Es culpa de todos. #trenengranadaya, #ministrodimisión

a. ¡Como siempre, das en el clavo! Yo también encuentro que *es* su mejor película.

b. Creo que estábamos en el mismo vuelo. En mi familia a todos la espera nos pareció, como a ti, que *era* una pesadilla. ¡Pero la comida, lo peor! ¡Menos mal que llevábamos bocadillos de casa!

c. Lo siento, pero no veo que yo *tenga* que sentirme responsable de nada. Los políticos sí, pero los demás, no.

d. Mala experiencia, sin duda, y estoy de acuerdo en que lo que más *dolió* fue la poca información y el mal trato que recibimos.

e. Me gustaría, pero no puedo darte la razón: no estoy de acuerdo en que *haya* que culpabilizar a los ciudadanos de nada. Bueno, de una cosa sí: de seguir votando a los mismos una y otra vez.

f. Yo estoy de acuerdo en que *es* muy buena, pero decir que es la mejor es una exageración.

8

Observa los verbos en cursiva en las respuestas de la actividad anterior. Subraya los verbos en indicativo y rodea los verbos en subjuntivo. ¿Puedes explicar por qué usamos indicativo o subjuntivo en cada caso?

9

Elige dos de estos temas y escribe una opinión sobre cada uno. Escríbelas en dos papeles distintos.

Un político de tu país
Un medio de comunicación (periódico, canal de TV...)
Un famoso de las revistas del corazón
Un aspecto polémico de la actualidad
Una red social
Otro tema...

10

Intercambia tus opiniones escritas con dos o tres compañeros. Escribid vuestras reacciones a cada opinión. Intentad usar estos recursos u otros del apartado 1 de la Agenda de aprendizaje.

Yo (no) estoy de acuerdo en que...
Yo (no) encuentro que...
Yo también / no veo que...
A mí también / no me parece que...

11

La empresa para la que trabajas propone algunos cambios a los empleados. Valora cada propuesta y explica por qué piensas así.

> Hacer todos los empleados un viaje al año juntos, y cada año a un destino diferente.

> Aumentar el sueldo un 10% a cambio de trabajar 10 horas más cada semana.

> Abrir una cantina en la empresa para que todos los empleados coman juntos todos los días.

> Recibir clases de idiomas gratuitas en el trabajo todos los días.

> Poder trabajar desde casa un día por semana.

> Trabajar los sábados por la mañana y tener los lunes libres.

> Cobrar la mitad de sueldo en vacaciones, pero tener el doble de días de descanso.

> Abrir una guardería para que madres y padres puedan ir a trabajar con sus hijos menores de 4 años.

1. No estoy de acuerdo en que _trabajemos los sábados por la mañana porque es el día que puedo estar con mis hijos._

2. Me parece una buena idea ....

3. Estoy a favor de que ....

4. No me parece una buena idea ....

5. Estoy de acuerdo en que ....

6. No me parece una buena idea que ....

7. No me parece una buena idea ....

8. No estoy de acuerdo en ....

12

En grupos, decidid cuáles son las dos mejores propuestas y por qué. Después, explicad vuestras conclusiones al resto de la clase.

13

Escribe tres propuestas para mejorar el centro en el que estudias español.

1. _Yo creo que sería buena idea abrir una cafetería que ofrezca churros y tortilla de patatas._

2. ....

3. ....

4. ....

14

Comparte tus propuestas con un compañero y valora tú las suyas.

Lee el siguiente artículo sobre la confianza de los españoles en la prensa y subraya las ideas que te parezcan más interesantes y que más te sorprendan.

Un estudio señala a España como el país de Europa Occidental con menos confianza en la prensa

La investigación del Pew Research Center en ocho países –Dinamarca, Alemania, Países Bajos, Suecia, Reino Unido, Francia y España– destaca que los países del sur de Europa se fían menos de los medios de comunicación. TVE es la televisión pública con menos apoyo de los ciudadanos: apenas un 13% de los encuestados la señalan como su principal fuente de información, contra el 28% de la BBC en Gran Bretaña

España es uno de los países de Europa que menos confía en los medios de comunicación. Un reciente estudio del Pew Research Center la sitúa solo por delante de Italia, donde apenas un 29% de los encuestados dice fiarse de la prensa. En España ese porcentaje es del 31%, contra el 67% de Países Bajos o el 64% de Alemania y Suecia.

Más notable resulta el porcentaje si se tiene en cuenta que un 88% de los ciudadanos consultados considera la prensa 'importante' –un 60% la considera incluso 'muy importante'–, lo que coloca España a la cabeza de la lista, por debajo de Suecia (95%) y Alemania (90%). (...)

Pero solo un 5% de los españoles confía ampliamente en la prensa.

Estos porcentajes de confianza obtenidos en el informe europeo contrastan con los que recoge el mismo estudio realizado por Pew en Estados Unidos, donde un 72% de los encuestados aseguraron fiarse de la información de sus medios de comunicación, y un 20% incluso confían "mucho" en ellos.

En cuanto a España, es llamativo otro dato: solo el 13% menciona TVE como su principal fuente de información. Es el estado en el que un porcentaje más bajo de encuestados menciona a la televisión pública. La BBC, por ejemplo, es señalada como referencia informativa por el 48% de los británicos, mientras que la SVT sueca y la NPO holandesa alcanzan el 39 y 32%, respectivamente. (...)

España se muestra como el país con las fuentes de información más fragmentadas.

Otra de las conclusiones del informe es que los europeos utilizan cada vez más las redes sociales para informarse. En siete de los ocho países estudiados una tercera parte o más de los adultos señalan que llegan a las noticias a través de las redes. Y en dos de ellos –Italia y España– Facebook aparece como la principal fuente de información para entre un 5 y un 6% de los encuestados.

Dada la reciente preocupación por la proliferación de noticias falsas o *fake news*, resulta significativo que los ciudadanos no siempre están pendientes del origen de las informaciones. Entre los países en que más personas aseguran no prestar atención a la fuente de la noticia están Francia (35%), Países Bajos (34%) e Italia (32%). España se sitúa a mitad de tabla, con un 26%.

16 Algunas personas que han leído el texto han hecho los siguientes comentarios. ¿Qué recursos emplean para hacer referencia a los temas del texto? Subráyalos.

A mí eso de que en Alemania haya tanta confianza en los medios me extraña mucho porque la mayoría de la gente que conozco prefiere informarse de otra manera, con las redes sociales, por ejemplo.

Es muy significativo lo de que los países del sur de Europa son los que menos confianza tienen en la prensa.

Lo más sorprendente para mí es lo de TVE, la televisión pública: solo la siguen un 13%. En mi país es totalmente diferente.

Lo que más me ha sorprendido es eso de que en Estados Unidos la gente confía tanto en sus medios de comunicación.

17 Escribe tú ahora en tu cuaderno opiniones o comentarios sobre las ideas que has subrayado en el texto. Usa para ello recursos como los de la actividad anterior: **lo de (que)**, **eso de (que)**.

18 Compara tus opiniones con las de un compañero. ¿Pensáis lo mismo? ¿Os sorprenden las mismas cosas?

19

¿Para qué usamos cada uno de los adverbios destacados en estos ejemplos? Clasifícalos en la tabla.

1. Los resultados electorales son **claramente** favorables al partido del Gobierno.
2. **Lamentablemente** no se ha llegado a ningún acuerdo tras la reunión de los sindicatos y los directivos de la empresa.
3. **Actualmente** en mi pueblo hay un centro de salud y asistencia médica toda la semana, pero es algo bastante reciente.
4. **Evidentemente** con estas notas no vas a lograr la beca para la universidad, eso está claro.
5. Mi hermana **generalmente** es más amable, pero hoy está de muy mal humor.
6. Los billetes a Ibiza con FlyAir están **verdaderamente** baratos, algo increíble en esta época.
7. "*A mi hermana la gusta" es una forma **gramaticalmente** incorrecta, pero es muy común en algunas zonas de España.
8. Las ballenas **raramente** se acercan a la costa, pero a veces es posible verlas desde los acantilados.
9. En España no está **socialmente** bien visto estar muy borracho.

1. Indicar una actitud o el grado de certeza

....
....

2. Indicar tiempo o frecuencia

....
....

3. Intensificar una cualidad

....
....

4. Indicar un punto de vista

....
....

20

En parejas añadid más adverbios a la tabla.
¿Cuántos podéis escribir en dos minutos? ¿Qué pareja de clase ha añadido más?

21

Completa estas frases con los adverbios adecuados.

> - **lamentablemente**
> - **generalmente**
> - **socialmente**
> - **verdaderamente**
> - **raramente**
> - **gramaticalmente**
> - **actualmente**
> - **afortunadamente**

1. Mucha gente dice "*detrás tuyo" o "*detrás tuya", pero no es correcto ....

2. .... casi todos los niños estudian una segunda lengua, pero no siempre ha sido así.

3. Este verano, ..., apenas ha habido fuegos en el monte y eso es una buena noticia.

4. Me sorprendió que Dani me llamara ayer porque él .... llama por teléfono. Suele escribir, pero llamar... casi nunca.

5. Este libro sobre la Guerra Civil que me han dejado es .... interesante. Si quieres, te lo paso cuando lo acabe.

6. El servicio técnico le informa de que .... los datos de su disco duro no podrán recuperarse.

7. Hay algunas costumbres que están .... admitidas en algunos países, pero no en otros, como besarse en público, por ejemplo.

8. .... se llama a los participantes por orden de inscripción, pero este año no lo van a hacer así.

22

¿Se puede cambiar la posición del adverbio en estas frases?
¿Qué otras opciones hay en cada caso? Escríbelas.

1. La cantante Emilia de la Torre actúa **habitualmente** en el Teatro Tívoli.

....

2. Mi horario es **normalmente** de 10.00 a 17.00, pero puede cambiar algunos días.

....

3. Pero... ¿estás **completamente** loco? ¿Cómo me has comprado algo tan caro?

....

4. Seguramente mis hermanos vienen a cenar mañana a casa.

....

5. Evidentemente, con todo el trabajo que tenemos, no podemos ir este verano de vacaciones.

....

6. Matemáticamente, es imposible llegar a final de mes con mi salario actual.

....

23

Traduce las frases a tu idioma. ¿Existen las mismas posibilidades? ¿Cuáles son las diferencias?

24

Completa este fragmento de novela con el adverbio más adecuado de la lista en cada caso. Cuidado: solo puedes usar una vez cada adverbio.

- lentamente
- suavemente
- totalmente
- probablemente
- fijamente
- tranquilamente

Lola se despertó poco a poco y, cuando estuvo .... despierta, caminó hacia la cocina donde el café terminaba de subir .... Se quedó mirando .... a la cafetera y entonces escuchó la voz que .... le susurró a su espalda: "¿Has dormido bien?" Lola giró la cabeza y vio a Mario .... sentado en el sofá; .... podría haber dicho algo inteligente en ese momento, pero solo acertó a murmurar: "Bien, sí, ¿y tú?".

25

El escritor colombiano Gabriel García Márquez decía que "los adverbios de modo terminados en -*mente* son un vicio empobrecedor" y siempre buscaba alternativas para evitarlos en sus novelas. Busca una o dos alternativas para cada adverbio en el fragmento de novela anterior.

Lola se despertó poco a poco y, cuando estuvo ~~totalmente~~ del todo despierta...

02
PÁSALO

 26

En los textos de las páginas 50 y 51 del Libro del alumno puedes encontrar muchas referencias a la política española de los últimos años. ¿Cuáles de las siguientes conoces? Coméntalo con un compañero.

- **Zapatero**
- **Acebes**
- **ETA**
- **Aznar**
- **Rajoy**
- **Génova 13**
- **Diario *El País***
- **PP**
- **PSOE**

> — PP significa Partido Popular, ¿verdad?
> — Sí, creo que sí. ¿No era el partido de Rajoy?

 27

Busca en internet información sobre los elementos que no conoces para entender mejor los textos.

 28 🔊 7

Escucha de nuevo la conversación sobre el 11-M y señala en estos fragmentos de la transcripción elementos característicos de la lengua oral y de la conversación.

1. Bueno, hubo un atentado terrible en unos trenes en Madrid y murieron... murió mucha gente, ¿no? ¿Cuánta gente murió?

2. Sí, sí, sí, sí. Y muchas agencias internacionales habían avisado a España, pero el Gobierno español no hizo mucho caso y... bueno, no sé, no se investigó mucho antes de... de eso y, bueno, sucedió la tragedia, ¿no?

3. Podría... podría haber sido, pero no estaba muy claro..., pero como había elecciones, el Gobierno español quería disimular que no habían estado atentos y a ellos, como era un partido muy conservador, que le iba muy bien políticamente echarle la culpa a ETA, intentaron... intentaron hacerlo así.

4. –Ya sospechaba algo...
–Claro, había indicios ya que apuntaban hacia otro sitio, ¿no?
–Ya, claro...
–Hombre, yo, por ejemplo, esos días estaba en el extranjero y me daba cuenta de que el Gobierno español decía una cosa y la prensa internacional decía otra.
–Decía otra...
–Entonces, era muy raro, ¿no?

5. Bueno y, además, claro... el Gobierno, ese Gobierno, el Gobierno de Aznar, del Partido Popular, había apoyado la invasión de Estados Unidos de Irak. Entonces, claro, ese Gobierno tenía miedo de que la gente relacionara el atentado con la participación de España en la invasión de Irak.

 29

Compara lo que has señalado con un compañero. ¿Habéis marcado los mismos elementos? ¿Hay algo que os haya sorprendido? ¿En tu idioma los recursos son similares?

30 🔊 8-13

Escucha y lee ahora estos fragmentos de la conversación. Elige dos e intenta reproducirlos como los oyes. Fíjate especialmente en las pausas, las vacilaciones y las frases inacabadas. Si quieres, después de practicar varias veces, grábate con el móvil y compara tu producción con la grabación original.

1. Bueno, hubo un atentado terrible en unos trenes en Madrid y murieron... murió mucha gente, ¿no? ¿Cuánta gente murió?

2. Bueno, lo reivindicó Al Qaeda. Al Qaeda estaba muy instalada en España, o sea, tenía, tenía gente en España desde hacía tiempo...

3. Sí, sí, sí, sí. Y muchas agencias internacionales habían avisado a España, pero el Gobierno español no hizo mucho caso y... bueno, no sé, no se investigó mucho antes de... de eso y, bueno, sucedió la tragedia, ¿no?

4. Claro. Y se les vio el juego. Rápidamente el pueblo lo vio claro, ¿no?

5. Hombre, yo, por ejemplo, esos días estaba en el extranjero y me daba cuenta de que el Gobierno español decía una cosa y la prensa internacional decía otra.

6. Eso no les convenía nada, sobre todo, porque esa misma semana había elecciones generales. Bueno y, de hecho, las perdieron.

31

Lee los comentarios que hicieron algunas personas entre el 11 y el 14 de marzo de 2004. Fíjate en las formas verbales subrayadas. ¿De qué formas se trata? ¿Cuándo usamos indicativo y cuándo subjuntivo?

1. – Dice la tele que ha sido ETA.
   – A mí me extraña mucho que haya sido ETA, pero tal vez tengan razón.
2. – ¿Sabes que han cancelado todos los actos electorales?
   – La verdad es que me parece normal que los hayan cancelado.
3. – Han convocado una concentración frente a la sede del PP. ¡Me ha llegado un sms!
   – Yo no entiendo que hayan convocado concentraciones, no sirven para nada, ¡pero es muy extraño que a mí no me haya llegado ningún mensaje!
4. – ¡El PSOE ha ganado las elecciones! Vaya sorpresa, ¿no?
   – Entiendo perfectamente que las haya ganado. Después de todo lo que ha pasado estos días...

32

Busca información en periódicos e internet y escribe cinco cosas que han ocurrido esta semana en tu ciudad. Usa el pretérito perfecto de indicativo, como en el ejemplo.

El Ayuntamiento ha paralizado las obras de ampliación del metro porque se han encontrado restos arqueológicos.

33 👥

Intercambia tu lista con un compañero. Escribe una posible reacción a cada noticia usando el pretérito perfecto de subjuntivo.

Pues a mí me parece muy bien que hayan paralizado las obras y que hayan decidido conservar los restos.

34

Algunas personas han estado debatiendo sobre ciertos temas polémicos. Imagina los diálogos y complétalos.

1.

A: Yo diría que el nudismo tendría que estar permitido en todas las playas, sin excepción. Nadie debería avergonzarse de estar junto a otras personas desnudas.

B: Claro, pero ¿no te parece que ....?

A: Sin duda, pero lo que yo quería decir es que..

2.

A: Yo no considero que el uso del móvil haya perjudicado las relaciones sociales. Simplemente, ahora la gente se relaciona, nos relacionamos, de otra manera. Ni mejor ni peor que antes.

B: ¿Y no crees que...?

A: Todo eso está muy bien, pero..

3.

A: A mi modo de ver, solo se puede aprender bien un idioma en el país. Sobre todo, para mejorar la fluidez y la fonética. Y para aprender las palabras que no se enseñan normalmente en las clases.

B: Pues yo no estoy en absoluto de acuerdo..

A: Sí, pero lo que yo digo es que..

35

En grupos, tirad el dado por turnos y moved las fichas: cada uno tiene que dar su opinión sobre las frases que le toquen. Podéis usar alguno de los recursos del cuadro.

- • Yo considero que...
- • Tengo la impresión de que...
- • Supongo que...   + Indicativo
- • Creo que...
- • Yo encuentro que...

- • Yo no considero que...
- • Yo no veo que...
- • No estoy seguro de que...   + Subjuntivo
- • Yo no creo que...
- • A mí no me parece que...

SALIDA

1
La radio informa mucho mejor que los periódicos o la televisión.

2
El uso del móvil ha perjudicado las relaciones sociales.

3
Tú eres sin duda la persona más sensata de esta clase.

4
El sistema educativo ha de ser solo público y nunca privado.

13
La felicidad consiste en aceptar lo que tienes, no en lograr lo que deseas.

14
Los políticos no deberían estar en cargos públicos más de cinco años.

15
Se debería atrasar la edad de jubilación a los 70 o 75 para aprovechar bien la experiencia.

5
La mayoría de edad para votar, conducir o beber debería adelantarse a los 16 años.

12
La fabricación y la venta de armas son actividades positivas porque dan trabajo a mucha gente.

16
En las escuelas habría que dar más importancia a la música, al baile o a la poesía, y menos a las matemáticas o la ciencia.

6
Prohibir el tabaco en lugares públicos ha sido una decisión muy acertada.

11
El trabajo en equipo está sobrevalorado: es más productivo trabajar solo.

LLEGADA

7
Las redes sociales son una pérdida de tiempo.

10
Solo se puede aprender bien un idioma en el país donde se habla.

9
Todavía hay muchas actitudes machistas en las relaciones sociales y laborales.

8
La mejor edad es siempre la que tienes en cada momento.

03
NO ME LO CREO

Lee de nuevo el texto de Marius Carol, "El imperio de la falsedad", de la página 54 del Libro del alumno. ¿Cuáles de estas frases recogen ideas del texto y cuáles no?

	Sí	No
1. La inteligencia artificial va a ser una herramienta básica contra la manipulación de la información.	☐	☐
2. El *brexit* solo se explica si tenemos en cuenta las informaciones falsas que se contaron como si fueran noticias ciertas.	☐	☐
3. Incluso un buen periódico o una buena cadena de radio pueden propagar por error noticias transmitidas por las redes sociales que no son ciertas.	☐	☐
4. Colectivos de periodistas y la Comisión Europea preparan un plan conjunto para abordar este problema.	☐	☐
5. El término **posverdad** no es más que una forma más suave y elegante de decir la palabra **mentira**.	☐	☐

En el texto "El imperio de la falsedad" aparecen los sustantivos del recuadro de la izquierda asociados a algún adjetivo del recuadro de la derecha. Escribe todas las combinaciones posibles y comprueba después cuáles aparecen en el texto.

- medio
- tecnología
- noticia
- sociedad
- información
- conciencia
- inteligencia
- realidad
- guerra
- batalla

- política
- falsificada
- individual
- falsa
- verdadera
- informática
- riguroso

- serio
- comercial
- artificial
- cierta
- madura
- incierta

Medio riguroso, medio serio...

Compara con dos compañeros tus propuestas y haced una lista común. ¿Sabes el significado de todas las combinaciones?

39

Después de leer el artículo de Marius Carol, "El imperio de la falsedad", algunas personas han emitido estas opiniones. Señala con cuáles te identificas más.

[ ] **1.** No hay duda de que nada <u>es</u> lo que parece.

[ ] **2.** Yo también creo que la manipulación de la información <u>será</u> la gran amenaza del futuro.

[ ] **3.** Es obvio que fenómenos como Trump o el *brexit* no <u>serían</u> posibles sin las noticias falsas.

[ ] **4.** No puede ser verdad que en cuatro años <u>vaya a haber</u> más noticias falsas que verdaderas.

[ ] **5.** Es totalmente falso que <u>sea</u> difícil defenderse de tanta falsedad: solo hay que elegir bien lo que leemos.

[ ] **6.** Es increíble que <u>resulte</u> tan fácil crear realidad falsificada.

[ ] **7.** Me parece sorprendente que un medio de comunicación serio <u>caiga</u> en la trampa de dar por buena un noticia falsa.

40

¿En qué frases los verbos subrayados van en indicativo? ¿En cuáles en subjuntivo? ¿Por qué? Escribe dos frases con tu opinión sobre el texto: una con un verbo en indicativo y otra con un verbo en subjuntivo.

1. ....
....
....

2. ....
....
....

 41

Las siguientes notas resumen la entrevista con Eduardo Martín, pero faltan algunas palabras importantes. ¿Puedes completarlas? Si lo necesitas, escucha de nuevo la entrevista.

1. Antes la gente se informaba solo por radio, televisión y .... Esa información estaba escrita por un .... que comprobaba la .... de la noticia.

2. Ahora las noticias nos llegan en .... y todos somos reinformadores porque .... la información a través de ....

3. Y así se crean .... que circulan por las redes, y cuando se comprueban, ya es demasiado .... Un buen ejemplo son las .... sobre el 11-S.

4. En conclusión, ahora estamos .... informados que antes.

5. La .... de las noticias llega a todos los niveles: históricos, políticos, e incluso a .... de las personas.

 42

En grupos de tres, cada uno busca dos de estas frases en la transcripción de la entrevista a Eduardo Martín. Explicad después, con vuestras palabras, qué quieren decir los términos subrayados y el significado de la frase.

Alumno A
1. Eso estaba pasado por el <u>tamiz</u> de profesionales.
2. El propio receptor se convierte en "<u>reinformador</u>".

Alumno B
1. Es un <u>disparate</u> absoluto, es una locura.
2. Queda esta duda de los aficionados a las <u>conspiraciones</u>.

Alumno C
1. Ahora es muy fácil crear <u>difamación</u> y mentiras...
2. La falsificación llega a todos los niveles, a temas <u>de gran calado</u>.

43

La entrevista con Eduardo Martín acaba con la siguiente frase. Tradúcela a tu lengua y compara tu traducción con la de un compañero con tu mismo idioma.

> La posverdad es una mentira repetida hasta la saciedad, hasta que la incultura hace que se crea que es verdad.

44

Lee el informe "Mentiras y medias verdades sobre las personas migrantes", de Manu Mediavilla (@ManuMediavilla), colaborador de Amnistía Internacional. ¿Qué informaciones falsas desmiente el artículo? Escríbelas usando estas fórmulas: **No es verdad que…**, **No es cierto que…**, **Es falso que…**

Mentiras y medias verdades sobre las personas migrantes

Por Manu Mediavilla (@ManuMediavilla), colaborador de Amnistía Internacional, 7 de febrero de 2018

A pesar de la mayoritaria comprensión ciudadana hacia la inmigración (solo el 7,7% se oponía en 2013 a que las personas inmigrantes en situación regular tuvieran los mismos derechos que la población nativa), y aunque en España no han tenido un reflejo electoral ultraderechista como en varios países europeos, sí han saltado las primeras chispas en las redes sociales y en la calle.

Para empezar, no hay demasiados inmigrantes. Los últimos datos del Instituto Nacional de Estadística (INE) cifran la población extranjera en 4.464.997, un 9,59% del total, casi tres puntos menos que en 2011. De cada diez, seis han llegado desde países no comunitarios (5,75% del total) y cuatro proceden de otros países de la Unión Europea.

Sin embargo, el porcentaje de inmigrantes percibido por la población nativa ronda el 21,5%, probablemente como resultado de una doble 'visibilidad' de la población extranjera: en los transportes públicos y espacios gratuitos de ocio –relacionada con su menor capacidad adquisitiva–, y en las secciones de sucesos de los medios de comunicación, fruto de una información demasiadas veces desenfocada. (…)

Las personas inmigrantes no acaparan las ayudas sociales. El acceso a los servicios sociales es un derecho reconocido en todos los ámbitos administrativos –autonómico, estatal y europeo– y se rige por un mismo criterio: la situación socioeconómica personal o familiar, no la nacionalidad española.

Las personas inmigrantes no saturan la Sanidad ni abusan de la atención primaria y las urgencias. La mitad de la población española lo cree (45% sobre las personas extranjeras en general y 55% sobre las de países ricos), pero los datos no avalan ese tópico. Numerosos estudios, incluidas las Encuestas Nacionales de Salud, confirman que la población nativa tiene más problemas crónicos –lógico dada su mayor edad media– y, precisamente por ello, acude más a las consultas médicas de primaria y especializadas. La experiencia migratoria hace que la población llegada de otros países, sobre todo de fuera de la UE, sea habitualmente joven y con buena salud para poder afrontar los retos laborales y de integración. (…)

Las personas inmigrantes no bajan el nivel educativo. El 36% de la población creía en una encuesta del CIS de 2014 que "la calidad de la educación empeora en los colegios donde hay muchos hijos de inmigrantes". Es otra verdad a medias. El informe PISA que mide el rendimiento académico dio en 2015 al alumnado inmigrante 26 puntos menos que al nativo, pero aclaró que el resultado estaba más relacionado con su situación socioeconómica que con su origen. (…)

Las personas inmigrantes no hacen aumentar la violencia machista. Esta lacra social no ha sido 'importada' por la gente llegada de sociedades más tradicionales y con menor desarrollo legislativo para combatirla. La desigualdad entre hombres y mujeres afecta a todos los grupos, sociedades, edades y contextos, y la violencia machista está ligada a relaciones de poder asimétricas que se traducen en subordinación y vulnerabilidad de las mujeres al margen de su situación económica o desarrollo del país; muchas inmigrantes sufren una doble discriminación como mujeres e inmigrantes.

Y no, sus comercios tampoco evaden impuestos ni incumplen los horarios, un doble tópico que suele referirse al empresariado chino, pero que no es real: no hay exenciones ni moratorias de impuestos –lo que hay es un convenio firmado por 70 países, incluidos España y China, para evitar la doble imposición fiscal–, y sus horarios de apertura se ajustan a las normativas autonómicas, que son muy flexibles en diversos sectores y ciudades turísticas. De hecho, su espíritu comercial está permitiendo mantener negocios que carecían de relevo generacional y se veían abocados al cierre.

Frente a tantos tópicos falsos que pueden ser desmentidos con datos contrastados, solo cabe un discurso de tolerancia e integración. (…)

www.es.amnesty.org

45

Escoge dos de los temas que Manu Mediavilla desmiente en el artículo. Lee de nuevo los párrafos correspondientes a esos dos temas y resume en una frase la información que aparece en cada uno.

46

¿Qué otras informaciones falsas sobre migración has leído o escuchado alguna vez? Escríbelas y compártelas después con tus compañeros. ¿Por qué son mentira?

"
—Mucha gente dice que los emigrantes no quieren aprender nuestra lengua y prefieren vivir en guetos.
—¿Y tú crees que es verdad?
—Yo no estoy en absoluto de acuerdo porque...
"

47

Relaciona cada frase con su continuación más adecuada.

1. Dicen que Laura tiene cuatro exmaridos, pero...
a. yo no me lo creo. Parece muy joven.
b. yo no creo. Parece muy joven.

2. Vuestra amiga trabaja en el teatro, ¿verdad?
a. ¿Creéis que podría conseguirnos dos entradas?
b. ¿Os creéis que podría conseguirnos dos entradas?

3. Cuando mi abuelo dijo que se volvía a casar...
a. creímos. ¡Pero era broma!
b. nos lo creímos. ¡Pero era broma!

4. He leído que van a subir el salario mínimo.
a. Creo que es una buena idea.
b. Me creo que es una buena idea.

5. Dice Luis que ha estado toda la tarde en casa, pero...
a. no creo. Lo he visto con sus amigos en la plaza.
b. no me lo creo. Lo he visto con sus amigos en la plaza.

48

Escribe cinco frases sobre ti y sobre tu vida. Pueden ser verdaderas o falsas.

1. ....
2. ....
3. ....
4. ....
5. ....

49

En grupos. Lee tus frases a tus compañeros, que tendrán que decir si se lo creen o no y explicar por qué.

"
—Cuando era pequeño, fui modelo para varias campañas publicitarias.
—Yo no me lo creo...
—Pues yo sí que me lo creo. Todos los niños pueden ser modelos. "

50

Lee estas afirmaciones sobre los españoles. Algunas son falsas y otras, simplemente, sorprendentes. ¿Puedes distinguirlas? Puedes desmentirlas, aceptarlas como ciertas o valorarlas, usando estas fórmulas.

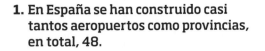

- **Yo creo que es posible que...**
- **No puede ser verdad que...**
- **No es cierto que...**

- **Me parece sorprendente que...**
- **Me parece increíble que...**
- **Es fantástico / una pena que...**

1. En España se han construido casi tantos aeropuertos como provincias, en total, 48.

2. Tenemos muchos bares: en algunas ciudades españolas hay incluso un bar por cada tres habitantes.

3. Un grupo de españoles fueron los primeros en entrar en la Francia ocupada para liberarla de los nazis.

4. El año pasado, España fue líder europeo en descargas ilegales de internet: películas, música...

5. En los últimos años, España ha sido líder mundial en donaciones y trasplantes de órganos.

6. Aunque parezca mentira, el nombre de la salsa mayonesa procede de Mahón, la capital de Menorca.

7. El 75% de los españoles ha leído este año entre 15 y 20 libros, especialmente novelas y ensayos.

8. El restaurante más caro del mundo se encuentra en Ibiza y la cena cuesta 1.700 euros por persona.

9. Pese al tópico, el 58,6% de los españoles afirma que no ha dormido la siesta nunca.

10. En el siglo XIX los españoles aprendían inglés y francés en las escuelas y a los 15 años todos los niños escolarizados eran prácticamente bilingües.

51

Comprueba en internet qué afirmaciones de la actividad anterior son reales y cuáles no.

ARCHIVO DE LÉXICO

 52

Busca en el texto a qué sustantivos aparece asociado el adjetivo **electoral** y cópialos aquí. ¿Sabes qué significan todas las combinaciones? ¿Cómo se dicen en tu idioma?

....

....

....

....

....

....

....

....

 53

Completa cada definición con la combinación de palabras más adecuada de la actividad anterior.

1. El día en que se celebran elecciones se denomina ....

2. Un mitin, un encuentro de un candidato con empresarios o una visita de una candidata a una ciudad son ....

3. El lugar donde la gente vota (normalmente una escuela u otro lugar público) se llama ....

4. El número final de votos obtenidos por cada partido o por cada candidato es el ....

5. Una .... son todas las actividades que realizan los partidos políticos para influir en los votantes. Suele durar entre dos semanas y un mes.

6. Se llama así a un cambio brusco e inesperado en la tendencia de los electores: ....

 54

Estos son los tipos de elecciones que existen en España. ¿Qué se elige en cada una de ellas? Busca en internet la información que necesites.

1. Elecciones generales

Diputados y senadores en el Parlamento

2. Elecciones autonómicas

....

3. Elecciones europeas

....

4. Elecciones municipales o locales

....

 55

¿Existe en tu país otro tipo de elecciones? ¿Qué se elige en ellas? Coméntalo con tus compañeros.

56

Organiza lo que has aprendido en esta unidad sobre la palabra **elecciones**.

57

Lee estos fragmentos del discurso del líder de la oposición. ¿Puedes resumir con una palabra su intención en cada uno? Te pueden ayudar las palabras que aparecen en el recuadro.

```
• añadir            • comunicar
• aclarar           • reprochar
• revelar           • preguntarse
• confesar          • quejarse
• señalar           • proponer
• exigir            • aconsejar
```

1. Y os voy a contar algo que nunca hemos contado a nadie hasta ahora: el número de afiliados en el partido ha crecido un 25% durante el último año.

....

2. ¿Vamos a seguir aceptando unos presupuestos que no son justos? ¿No vamos a hacer nada para mejorarlos?

....

3. Y os digo una cosa más: yo no estoy en política para hacer dinero, sino para trabajar por la gente.

....

4. Yo en su lugar, señor presidente, pondría más atención en la política exterior.

....

5. Voy a decirlo de otra manera para que quede claro: no estoy en contra de subir los impuestos.

....

6. Y os sugiero una idea: trabajar todos juntos para ganar las elecciones generales en dos años.

....

58

Fíjate en estas dos formas de transmitir las palabras y la intención del político. Haz lo mismo en tu cuaderno con las otras frases de la actividad anterior.

— *"El número de afiliados en el partido ha crecido un 25% durante el último año", reveló Luis Martín.*
—*Luis Martín reveló que el número de afiliados en el partido había crecido un 25% durante el último año.*

ESCRITURA

En grupos. Leemos los textos de varios compañeros y decidimos cuáles son los más interesantes.

 59

¿Recuerdas noticias falsas repetidas a través de las redes sociales para que parezcan verdad? Escribe algunas. Pueden ser sobre la actualidad, sobre un hecho histórico o sobre personas famosas.

....

....

....

....

....

....

....

....

 60

Elige una de esas noticias y busca información en internet para escribir un texto. Puedes explicar aspectos como los siguientes.

- el contexto de la información
- de dónde surge la mentira
- cómo se propagó
- qué efecto tuvo
- ...

 62

Escoge una noticia reciente que hayas leído en tu idioma. Escribe en español un resumen de la noticia (100-150 palabras), pero incorporando algún elemento que no aparezca en la noticia original y que inventes tú.

 63

En grupos, lee tu texto a tus compañeros. ¿Pueden descubrir cuál es la información falsa?

64

Busca, en algún periódico que consultes regularmente (en español o en tu idioma), una noticia que te llame la atención. Escribe, a la sección Defensor del lector del periódico, un correo electrónico en el que des tu opinión (positiva o negativa) sobre la forma que tiene el periodista de enfocar esa noticia.

Tienes que:

- informar sobre qué noticia escribes y por qué.
- indicar tu opinión, positiva o negativa, sobre la perspectiva que adopta el periodista.
- citar fragmentos concretos del texto para apoyar tu opinión.
- concluir indicando sugerencias para la línea del periódico.

65

En clase, explícale a un compañero el contenido de la noticia sobre la que has escrito y déjale leer tu correo electrónico. Tu compañero te hará propuestas para mejorar el texto, que puedes incorporar antes de entregárselo al profesor.

PAISAJES, CAMINOS Y VIDAS

01
UN PASEO POR LA SIERRA DE GUADARRAMA

1

Vuelve a leer el texto introductorio de la página 62 del Libro del alumno. Después, en parejas, completamos estos fragmentos sin mirar el libro.

La sierra de Guadarrama es una cadena montañosa que .... al sistema Central, una cordillera .... en el centro de la península Ibérica. La sierra .... a lo largo de 80 km en dirección suroeste-noreste.

La flora .... por la abundancia de robledales, encinares y bosques de pino silvestre. En cuanto a la fauna, ... los mamíferos como ciervos, jabalíes, gamos...

Al estar atravesada por numerosos puertos de montaña y por vías ferroviarias, la sierra .... una gran cantidad de montañeros y ....

Las asociaciones ecologistas .... sobre el peligro de masificación, ya que se calcula que algunos lugares del .... serán visitados por más de 2,5 millones de habitantes al año.

2

Explica con tus propias palabras estas expresiones que aparecen en el texto.

1. Atraviesa las provincias de Madrid, Segovia y Ávila.

La Sierra pasa por tres provincias: Madrid, Segovia y Ávila.

2. En ella predomina el clima de montaña.

....
....

3. La flora se caracteriza por...

....
....

4. Alertan sobre el peligro de masificación.

....
....

5. En el parque hay 58 especies de mamíferos, de las cuales seis se encuentran solo allí.

....
....

6. ...estaba en peligro de extinción

....
....

3

Vuelve a ver el vídeo "Un paseo por la sierra de Guadarrama" y anota a qué lugares se refiere Pepo Paz en cada una de las siguientes afirmaciones.

	Bosque de Canencia	Embalse de Santillana	La Pedriza	Castillo
1. Es una construcción medieval.	☐	☐	☐	☐
2. Es su lugar favorito de la sierra.	☐	☐	☐	☐
3. Los amaneceres son diferentes en cada estación del año.	☐	☐	☐	☐
4. Es la silueta más reconocible del parque.	☐	☐	☐	☐
5. Hay ejemplares de peces que no son autóctonos.	☐	☐	☐	☐
6. Es una de las joyas del Parque.	☐	☐	☐	☐
7. Allí se siente seguro y protegido.	☐	☐	☐	☐
8. Le gusta empezar el día allí.	☐	☐	☐	☐
9. Tiene especies vegetales que no se corresponden con el clima actual.	☐	☐	☐	☐

4

Piensa en lugares que, para ti, cumplen las siguientes condiciones.

1. Es mi rincón preferido de...	**2.** Es una maravilla.
....	....
....	....
....	....
3. Es un lugar húmedo y frío.	**4.** Es una de las joyas de un parque nacional.
....	....
....	....
....	....
5. Es mi lugar en el mundo.	**6.** Es un bosque mágico.
....	....
....	....
....	....

5

Comparte tus respuestas con un compañero.

6

Relaciona cada fotografía con un texto. Hay un texto que no debes seleccionar.

7

Busca en internet fotos del tercer paisaje. ¿Cuáles de ellos te gustaría conocer? Coméntalo con tu compañero.

1. LAS MÉDULAS

El color rojizo de la tierra y sus singulares formas, en combinación con los bosques de castaños y robles, son las principales características de Las Médulas, uno de los parajes más bonitos de España. Construido por los romanos entre los años 26 y 19 a. C., fue la mina de oro al aire libre más importante del Imperio romano. Se encuentra en El Bierzo, en la provincia de León, y el mejor lugar para apreciar este sitio es el mirador de Orellán.

....

2. TAJO DE RONDA

Es una de las atracciones naturales más espectaculares que tiene España, a las que se le han sumado maravillas humanas como el impresionante puente tan alto y la belleza de las rocas y las casas que se asoman al precipicio. Toda esta combinación crea un paisajes que, si ves, nunca olvidarás. Y es que la altura tan imponente y la mezcla de colores con el cielo crean algo impactante para la vista.

....

3. SAN JUAN DE GAZTELUGATXE

Se encuentra en la localidad de Bermeo, en Vizcaya, y es una de las joyas más preciadas del País Vasco. El encanto de este islote se debe a la fusión de su particular formación rocosa con el estrecho camino que lleva hasta el interior de una ermita que se encuentra en la punta. Otra cosa sorprendente es que tiene una ubicación privilegiada, está unida al continente por un puente de dos arcos y se rodea por islas, acantilados y playas salvajes.

....

8

¿Conoces algún paisaje impresionante de tu país? Escribe un breve texto de presentación sobre él y acompáñalo con imágenes.

9

Observa estas dos ilustraciones. ¿A cuál se refiere cada frase?

a.

b.

 1. El volcán, que está al oeste de la isla, todavía está activo.

 2. El volcán que está al oeste de la isla todavía está activo.

10

Relaciona los elementos de las columnas y forma frases en tu cuaderno.
En algunos casos hay varias posibilidades.

Te dejo la guía de viajes	desde	el / que	te hablé se pueden ver en el Museo de Arte Abstracto.
En esa ciudad está el palacio	de	la / cual	le pido que deje la cámara en la recepción.
Está prohibido hacer fotos en el museo,	en	los / cuales	está en proceso de restauración, es de estilo gótico.
Estas islas,	para	las	se puede ver África, son un espacio natural protegido.
Todo	por	lo	viajé a la Patagonia.
La catedral de esta ciudad,	con		se coronó al rey actual.
Las pruebas de ingreso a la Escuela de Turismo			hay en el Museo de Arte Románico fue encontrado en pequeñas ermitas del Pirineo.
Los cuadros de Miró			me preparé se han cancelado.

Completa las frases con los relativos: cuyo/a/os/as. ¿Son afirmaciones verdaderas o falsas?
Comprueba tus respuestas buscando información en internet.

	V	F
1. La Sagrada Familia, ... silueta destaca en el horizonte de Barcelona, se empezó a construir en 1900.	☐	☐
2. La cordillera de los Pirineos, desde .... picos se puede divisar el Mediterráneo, separan Francia de España.	☐	☐
3. La ciudad de Buenos Aires, en .... calles nacieron la cumbia y el reguetón, es la ciudad con más habitantes de Argentina.	☐	☐
4. El parque de Tayrona, en .... playas desemboca el Río de la Plata, se encuentra en Colombia.	☐	☐
5. La Ciudad de México, ... centro histórico fue declarado Patrimonio de la Humanidad en 1987, recibe millones de turistas anualmente.	☐	☐

12

En parejas, preparad un test parecido al anterior. Utilizad las mismas partículas relativas.

	V	F
1.	☐	☐
2.	☐	☐
3.	☐	☐
4.	☐	☐
5.	☐	☐

13

Haced el test a otra pareja. ¿Cuántas respuestas han acertado?

←

14

Completa estas frases de una guía turística sobre una ciudad española. ¿Sabes de qué ciudad se trata?

> • **ha sido elegida** • **fue fundada**
> • **son visitados** • **fue conquistada**

1. .... en el siglo III a. C. por los romanos en un montículo rocoso junto al mar.

2. En el año 475 .... por los visigodos y en el 714 por los musulmanes.

3. Sus principales atractivos turísticos (la muralla romana, el anfiteatro y la catedral de santa Tecla) .... por turistas de todo el mundo.

4. Hace poco .... como sede de los XVIII Juegos Mediterráneos.

15

¿Cómo le explicarías la información anterior a un amigo? Reescribe cada frase con tus propias palabras.

1. ....
....

2. ....
....

3. ....
....

4. ....
....

16

Transforma esta información sobre dos ciudades llamadas Trujillo utilizando la voz pasiva y modificando los elementos necesarios.

Trujillo (España)

1. La Trujillo española se encuentra en Cáceres y es de origen prerromano. Los romanos, al ocuparla, la rebautizaron como *Turgalium*.
2. Durante la Edad Media, la poblaron los pueblos bárbaros (principalmente los visigodos).
3. Posteriormente, durante la Reconquista, la gobernaron los musulmanes, quienes la llamaron de diferentes maneras: *Turyila*, *Taryalah* o *Turyaluh*.
4. Durante la época musulmana se construyeron la fortaleza y gran parte de la muralla.

Trujillo (Perú)

1. En contra de la creencia popular, Francisco Pizarro no fundó Nueva Trujillo, la localidad peruana.
2. Esta ciudad se llamó así en honor de la ciudad natal del conquistador, que no solo fue la cuna de Francisco sino también de sus hermanos: Gonzalo, Hernando y Juan.
3. Ha sido en dos ocasiones sede de gobierno del país. Asimismo, en esta ciudad se fundó la primera corte de justicia del país.
4. En el siglo XVII, debido a la cercanía de la ciudad con el mar (4 km) y el peligro de ataque por piratas y corsarios, se edificó durante el gobierno del virrey Melchor de Navarra y Rocafull la muralla de la ciudad.

17

Completa este artículo sobre los Picos de Europa con los verbos adecuados.

- • fueron bautizados
- • situados
- • mantiene
- • alcanza

- • fueron
- • se proclamó
- • inspirado
- • han llegado

- • se encuentra
- • formados
- • abundan
- • propuso

100 AÑOS DEL PRIMER
PARQUE NACIONAL ESPAÑOL

Cuentan que, en su regreso de América y al acercarse al Viejo Continente, las primeras montañas que veían los marineros desde el océano eran las cumbres de estos tres grupos de montañas, y que por eso .... como Picos de Europa. .... hace unos 300 millones de años, se encuentran entre tres comunidades autónomas, Asturias, León y Cantabria. La montaña más alta, con 2648 metros, es Torre Cerredo, situada en el Macizo Central. .... a solo 20 kilómetros del mar Cantábrico, su clima húmedo y templado es típicamente atlántico. .... los grandes bosques con encinas y hayas, además de rocas y praderas. Es el hogar ideal para una enorme variedad de especies, entre las que destacan las grandes poblaciones de animales emblemáticos del lugar, como el oso, el lobo, el águila real o la liebre.

Estas montañas .... un lugar frecuente para la caza. Y fue un cazador asturiano, Pedro Pidal, aristócrata, alpinista y político, quien en 1916, ... por los conservacionistas estadounidenses, ... ante el Senado la creación de la primera ley de Parques Nacionales de España. Dos años después se .... el primer parque nacional de España: la montaña de Covadonga, que .... en Picos de Europa. Actualmente, el parque .... ya las 64.660 hectáreas. Sin duda, los grandes cambios de este siglo, como la despoblación masiva de zonas rurales y el abandono de actividades como la ganadería, ... también a este territorio. A pesar de todo, el territorio de Picos de Europa .... sus extraordinarios valores en muy buen estado de conservación y es todo un paradigma del ecosistema de alta montaña.

"100 años del primer parque nacional" (REVISTA OFICIAL NATIONAL GEOGRAPHIC SOCIETY)

02
LA COLUMNA VERTEBRAL DE SUDAMÉRICA

18

¿De qué tipo de ruta se trata en cada caso? Vuelve a leer los textos de la página 66 del Libro del alumno para comprobarlo.

1. Ruta Patrimonial Gabriela Mistral	**a. ruta histórica**
2. Cruce de los Andes	**b. ruta literaria**
3. Avenida de los Volcanes de Humboldt	**c. ruta científica**

19

Busca en internet imágenes e información de una de las tres rutas y describe a tus compañeros qué es cada imagen.

20

¿En tu país existen rutas de este tipo? Busca información sobre algunas de ellas y preséntalas brevemente a tus compañeros. ¿Cuáles os gustaría hacer?

En el sur de Alemania tenemos la ruta del Rin...

21

Vuelve a leer el diario de viaje de Irene de la página 67 del Libro del alumno y completa el mapa del Camino del Inca con los datos que faltan (nombres de lugares y altitudes).

Camino del Inca

3 _____ 4200 m

WAYLLAMBA

2 _____

4 _____

5 _____

LLACTAPATA 2650 m

PACAYMAYU 3600 m

SAYACMARCA 3580 m

PHUYUPATAMARCA 3640 m

1 RÍO _____

CHACHABAMBA 2150 m

WIÑAYWAYNA 2650 m

KM 82 inicio Camino del Inca Clásico

MACHU PICCHU 2430 m

6 _____

KM 104 inicio Camino del Inca Corto

LEYENDA

— Camino del Inca 4 días
— Camino del Inca 2 días
● Campamentos
● Ruinas arqueológicas

22

Completa la siguiente ficha con información sobre la flora, la fauna y el clima que aparece en el diario.

Día 1	Día 2
Flora:	Flora:
Fauna:	Fauna:
Clima:	Clima:

Día 3	Día 4
Flora:	Flora:
Fauna:	Fauna:
Clima:	Clima:

23

Piensa en momentos que hayas vivido sobre los que puedes decir estas cosas.

1. El primer día de caminata fue muy fácil.

....

2. Ese día fue especialmente duro.

....

3. Me sentí mareado/a y un poco confundido/a.

....

4. Me quedé absolutamente maravillado/a.

....

5. Me impresionaron especialmente...

....

6. No encuentro palabras para decir lo que sentí.

....

24

Completa estas frases con información sobre alguna ruta que hayas hecho.

1. Para visitar ....

.... , y si no, puedes ....

....

2. El día más difícil ....

....

....

3. Durante el camino, disfrutas de ....

....

....

4. En general, la gente que hace la ruta es gente ....

....

....

5. Lo que más me impresionó fue ....

....

....

25

Completa las frases del diario con la preposición correspondiente.

1. **Cruzamos el río Urubamba**............................ un puente colgante y luego empezamos a subir............................ una ladera suave.
2. **Caminamos unas cinco horas, parando** .... un lago para almorzar.
3. **De vez en cuando, nos apartábamos** .... camino para mirar alrededor y disfrutar de las vistas.
4. **Estuvimos subiendo**............................ unas cinco horas............................ unas escalinatas hasta que alcanzamos el Warmiwañusca.
5. **Caminamos**............................ un sendero .... el paso Abra, después de rodear una pequeña laguna.
6. **Cruzamos túneles de piedra y** descendimos............................ escalinatas que giraban en espiral.

26

Elige cuatro de las combinaciones de verbo + preposición de la actividad anterior y escribe un ejemplo con cada una de ellas. Después, con los compañeros haced una lista común de ejemplos.

1. ....
....
2. ....
....
3. ....
....
4. ....
....

27

Escoge, como mínimo, cinco verbos y cinco complementos y describe una ruta.

- bajar
- subir
- alejarse
- acercarse
- recorrer
- seguir
- pasar
- pararse
- rodear
- atravesar
- apartarse
- entrar
- salir
- llegar
- llevar
- acompañar

- a un pueblo
- de un río
- un túnel
- de una cueva
- una mochila
- del camino
- un puente
- a un excursionista
- un lago
- por el sendero
- el sendero
- a un lago
- provisiones
- una colina
- por la colina
- a un grupo de turistas
- a la cima
- un pueblo

La ruta empezaba en el aparcamiento. Primero subimos por una colina hasta un bosque de castaños, lo atravesamos por un sendero y bajamos a un lago enorme. Rodeamos el lago para entrar en una cueva que se podía visitar y, cuando salimos de la cueva, nos sentamos a comer los bocadillos que llevábamos en la mochila. Después, volvimos al coche por el mismo sendero. En total, estuvimos cinco horas.

28

Léele tu ruta a tu compañero. Él tiene que dibujarla.

Escribe una frase usando un verbo de movimiento y un accidente geográfico, como en el ejemplo. Luego dibújala en una hoja o en la pizarra y los compañeros tienen que adivinarla.

—Eso es un coche pasando por un lago.
—No, pero casi, casi...
—¡Un coche rodeando un lago!
—Sí.

Anota situaciones o cosas que te hacen experimentar estos sentimientos y estados de ánimo.

1. Me resulta/n fascinante/s

....

2. Me maravilla/n

....

3. Me sorprende/n

....

4. Me conmueve/n

....

5. Me angustia/n

....

6. Me confunde/n

....

Completa las siguientes frases con información personal.

1. Me quedé absolutamente maravillado/a cuando ....

2. Me sentí confundido/a cuando ....

3. .... **me resultó fascinante porque** ....

4. .... **me resultó incomprensible porque** ....

5. Me quedé conmovido/a cuando ....

6. Me quedé muy sorprendido/a cuando ....

7. Me sentí angustiado/a ....

8. Me sentí orgulloso/a ....

Intercambia tus frases con un compañero. Él te hará preguntas para ampliar información sobre algunas situaciones.

33

Lee el siguiente texto y escribe en tu cuaderno un título a la mejor experiencia de la autora y otro a la peor.

Los mejores y los peores destinos de cinco escritores de viajes

Escritores de viajes y autores viajados comparten sus mejores y peores experiencias
MARTA SANZ

El volcán Cotopaxi, de 5897 metros, se encuentra en el parque nacional homónimo, en la llamada Avenida de los Volcanes, al norte de Ecuador.

La mejor:

Ecuador. Partimos de Quito, una hermosísima ciudad, y recorrimos el interior del país en un coche de alquiler hasta llegar a Guayaquil, en la costa. Cada tramo y recodo de las carreteras merecían una foto. Parecía que las reses estaban colgadas de empinadísimas laderas. Pasamos por el Cotopaxi y nos alojamos en unas cabañas en el Chimborazo. La sensación de soledad y de vulnerabilidad me hizo sentirme como la protagonista de una película de terror. Fue sobrecogedor, divertido y nos ayudó a valorar nuestras propias fuerzas, así como las grandiosas dimensiones de la naturaleza. Luego pasamos por Cuenca, que es como una ciudad de los *cowboys*.

La peor:

Tengo dos experiencias no muy agradables, pero muy instructivas. La primera fue en la ciudad de Monterrey, donde el celo protector de los organizadores del acto al que fui invitada me llevó a no salir del hotel en tres días. Mi visión de Monterrey es la que se tiene desde detrás de las lunas de un vehículo en marcha. La segunda experiencia, terrible y maravillosa, tuvo lugar en Manila: en ningún lugar del mundo he sentido de manera más dolorosa la diferencia de clases sociales, la sensación de que cosas terribles estaban sucediendo al lado de las exhibiciones más obscenas de la riqueza. Conocí el significado de la pobreza real y me escandalicé de que esa pobreza pudiera ser interpretada en clave estética: el colorín del pobre. Aprendí mucho subida a un sidecar.

Marta Sanz es una escritora española. Recibió el Premio Herralde en 2015 por *Farándula* (Anagrama) y el Ojo Crítico de Narrativa en 2001 por *Los mejores tiempos* (Debate). Sus crónicas de viaje son publicadas en *El Viajero*.

https://elpais.com

34

Vuelve a leer el texto y subraya dónde se ve la postura de la autora respecto a la pobreza y la desigualdad.

35

¿Crees que es posible tener una experiencia terrible y maravillosa a la vez? ¿Te ha pasado alguna vez? Háblalo con tus compañeros.

¿Cómo se formulan las siguientes expresiones en la conversación de la actividad A
de la página 69 del Libro del alumno? Localízalo en la transcripción.

1. es muy apropiada para estancias cortas	**a.** acampamos
2. no es muy interesante	**b.** es una buena caminata
3. es un recorrido a pie largo y cansado	**c.** es ideal para pasar tres o cuatro días
4. es indescriptible	**d.** no tengo palabras para describirlo
5. montamos la tienda	**e.** no tiene mucho que ver

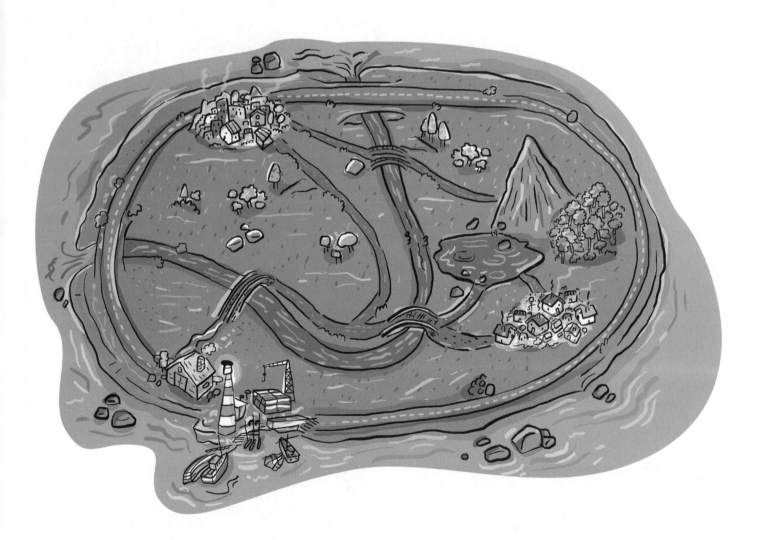

03
UN MAR DE IDENTIDADES

37

Lee el siguiente texto de Amin Maalouf sobre la identidad y decide si las siguientes afirmaciones son verdaderas (V) o falsas (F) según el texto.

La identidad de una persona está constituida por infinidad de elementos que, evidentemente, no se limitan a los que figuran en los registros oficiales. La mayoría de la gente, desde luego, pertenece a una tradición religiosa; a una nación, y en ocasiones a dos; a un grupo étnico o lingüístico; a una familia más o menos extensa; a una profesión; a una institución; a un determinado ámbito social… Y la lista no acaba ahí, sino que prácticamente podría no tener fin: podemos sentirnos parte, con más o menos fuerza, de una provincia, de un pueblo, de un barrio, de un clan, de un equipo deportivo o profesional, de una pandilla de amigos, de un sindicato, de una empresa, de un partido, (…) de una asociación, de una parroquia, de una comunidad de personas…

No todas esas pertenencias tienen, claro está, la misma importancia, o al menos no la tienen simultáneamente. Pero ninguna carece por completo de valor. Son los elementos constitutivos de la personalidad.

(…)

Igual que otros hacen examen de conciencia, yo a veces me veo haciendo lo que podríamos llamar "examen de identidad": rebusco en mi memoria para que aflore el mayor número posible de componentes de mi identidad, los agrupo y hago la lista, sin renegar de ninguno de ellos.

(…)

La identidad no se nos da de una vez por todas, sino que se va construyendo y transformando a lo largo de toda nuestra existencia.

Fuente: *Identidades asesinas*, Amin Maalouf

	V	F
1. Los registros oficiales recogen todos los elementos que forman la identidad de una persona.	☐	☐
2. La religión no forma parte de la identidad de las personas.	☐	☐
3. La lista de elementos que conforman nuestra identidad es muy extensa.	☐	☐
4. Algunos elementos pesan más que otros en nuestra identidad.	☐	☐
5. La identidad es dinámica y varía a lo largo de nuestra vida.	☐	☐

38

¿Qué te parecen las ideas de Maalouf? Coméntalas con tus compañeros.

"—No lo había pensado, pero es verdad que hay muchas cosas que influyen en tu identidad.
—Sí, pero quizá no tantas. Por ejemplo…"

39

Haz un examen de identidad, como propone Maalouf, y coméntalo con dos compañeros.

....
....
....
....
....
....
....
....
....
....

40

Relaciona cada frase del texto "Un mar de identidades" con su continuación.

1. Creíamos que los jóvenes hijos de inmigrantes nacidos aquí o que eran muy pequeños

2. Pensábamos que teníamos muchas cosas que enseñarles, que teníamos que compadecerlos,

3. Lo que no sabíamos es que los representantes de la segunda generación de inmigrantes

4. Nos hicieron ver

a. que la identidad es algo fluido, no un tótem inamovible.

b. saben muy bien dónde están, qué simbolizan y, sobre todo, lo que quieren.

c. que debíamos ayudarlos a buscar su identidad.

d. eran una generación perdida entre dos mundos, dos culturas, dos formas de ver la vida.

41

Lee las siguientes afirmaciones y marca a qué testimonio se refiere cada uno. Puede haber varias respuestas correctas.

	Rakesh	Asun	Santtu	Paola
1. Cuando va a su país natal, se siente como un/a forastero/a.	☐	☐	☐	☐
2. Tuvo dificultades para conseguir la nacionalidad española.	☐	☐	☐	☐
3. No ha sentido obstáculos desde su llegada a España.	☐	☐	☐	☐
4. Toda su vida se ha sentido tratado/a como español/a.	☐	☐	☐	☐
5. Se siente ciudadano/a del mundo.	☐	☐	☐	☐
6. No nació en España.	☐	☐	☐	☐
7. Cuando visitó el país de sus padres, se sintió emocionado/a.	☐	☐	☐	☐

42

¿Cómo se dirían estas frases en tu lengua? Escríbelo en tu cuaderno.

1. Por mucho tiempo que pase y por muchos lugares que visite, nunca dejaré de sentirme colombiana.

2. Por muy lejos que Manila esté de España, la siento muy cerca de mi corazón.

3. Tuve que esperar hasta la mayoría de edad para obtener la nacionalidad española, aun siendo España mi lugar de nacimiento.

4. A pesar de vivir en España desde muy pequeño, no me siento español.

5. A la izquierda está la India, muy lejos de aquí. Aunque esté lejos, sé que está esperándome para que la conozca mejor.

43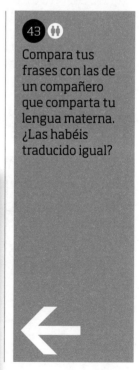

Compara tus frases con las de un compañero que comparta tu lengua materna. ¿Las habéis traducido igual?

44 ◉ 14

Escoge la opción correcta en cada caso. Vuelve a escuchar la entrevista con Carmen para comprobar tus respuestas.

–Oye / especialmente, Carmen, pero entonces tú, ¿de dónde eres?

–Soy de San Francisco, California. Soy estadounidense.

–Pero hablas español perfectamente.

–Ay, gracias / O sea. Nací en los Estados Unidos, pero mi mamá es hispanohablante y mi papá, angloparlante.

–¿De dónde es tu mamá?

–Es de México con papá español.

–Ah, qué interesante. / Y, por ejemplo, Cuánta… cuánta variedad, ¿no?, tienes en la sangre.

–Sí.

–Pero tú te sientes más estadounidense…

–En cierta forma, sí, / No sé, pero… porque allí nací, nació mi hijo, nació mi marido y allí crecí… estudié; pero también me siento mexicana y española. Me siento multicultural.

–Ah, qué bueno / oye. Por ejemplo, en México, ¿has pasado… has vivido en México?

–Jamás he vivido en México, pero… cada verano iba a visitar a mi abuela y a mi familia.

–Y claro / O sea, que tienes mucho de la cultura mexicana en ti.

–En cierta forma, sí, pero en cierta forma es solo una parte.

–O sea, que eres muy… culturalmente eres muy norteamericana.

–Culturalmente… en cierta forma, sí.

–Y ¿qué tienes de España? ¿Qué has heredado de esta cultura de tu abuelo?

–Todo… pienso que todo. Yo no sé si todo…, pero… he heredado mucho… no… no sé cómo decirlo en palabras, en realidad, pero siempre España ha estado en mi corazón y en mi alma. Mi mamá me decía desde niña, siempre hablaba de España, hasta… cuando estábamos en México, siempre hablaba de España.

–Y, ¿cómo has integrado todas esas culturas en tu día a día, en una… en una sociedad norteamericana tan distinta a la española o a la mexicana?

–Es una parte de quién soy yo. Una cosa que me gusta es que, de vez en cuando, para el almuerzo como… como comida mexicana o como comida española, y siempre estoy pensando: "Si estuviera en México, ¿qué haría ahora? Si estuviera en España, ¿qué… qué haría ahora?".

–Ay, gracias / Y, por ejemplo, ¿cómo… cómo has transmitido eso a tu hijo? ¿Culturalmente a él le ha llegado parte de esta cultura mexicana y española que… que tú tienes tan dentro?

–Yo quiero que tenga mucho orgullo en la herencia mexicana y española. Y especialmente / qué bueno ahora con el clima que tenemos en mi país, en los Estados Unidos, quiero que tenga mucha… mucho orgullo sobre el español, sobre su herencia de México, su herencia de España… Y a él siempre le gusta decir que él habla mejor el español que su papá, aunque lo entiende, pero no lo habla muy bien, pero…

–En cierta forma sí, / Y, claro, esto que comentas de la situación actual norteamericana… ¿te ha creado alguna vez un conflicto de… de… la diferencia entre culturas, el ser un poco de cada y vivir dentro de la cultura norteamericana, al fin y al cabo?

–Solamente… en el pasado no me ha… no he tenido conflicto, pero últimamente un poco más porque las cosas están un poco más difíciles… para los hispanohablantes… en los Estados Unidos. Hay un estereotipo que generalmente no es muy positivo, pero… una cosa que yo quiero hacer es cambiar ese estereotipo y tener orgullo en todo lo que soy.

–¿Crees que es posible cambiar ese estereotipo?

–O sea / No sé, pero… es como una gotita de agua. Cada quien puede… con cada gota pues se llena…

–Un vasito.

–Un vasito. Entonces, aunque sea solamente yo y quizá mi… mi hijo somos dos gotas.

45

Completa los siguientes diálogos con las formas correspondientes de imperfecto de indicativo o subjuntivo. En algún caso hay dos opciones.

1.

– El viaje a la Patagonia nos encantó. ¿Sabías que fue Magallanes quien descubrió esa región?

– ¿Cómo? No, **yo pensaba que** los navegantes ingleses (atravesar) .... en barco esa zona antes que los españoles.

2.

– **Yo no sabía que** América (llamarse) .... así por el navegante italiano Américo Vespuccio.

– Sí, es extraño, ¿no?

3.

– Gracias por el regalo. Esta tableta me encanta, pero ¿qué hago ahora con dos?

– Perdona, es que **pensábamos que** no (tener) ....

4.

– Oye, ¿puedes ayudarme a traducir esta frase?

– Lo siento, no tengo ni idea de inglés.

– Vaya, **pensaba que** (estudiar) .... inglés en el instituto.

– No, hice francés.

5.

– Y ¿qué tal la experiencia mexicana?

– Genial, aunque **no sabíamos que** la comida (ser) .... tan picante.

6.

– Antes de viajar a Uruguay, **yo no sabía que** allí (haber) .... dos lenguas oficiales: el español y el guaraní.

– Yo eso ya lo sabía, lo leí en la guía.

 46 **15**

Juana ha estado en Colombia dos meses y comenta su experiencia con un amigo. ¿De cuáles de estos temas hablan? Márcalo.

☐ **1.** Localización de Bogotá
☐ **2.** El urbanismo en Bogotá
☐ **3.** La infusión de coca
☐ **4.** El transporte público de Medellín
☐ **5.** La cultura del café en Colombia
☐ **6.** El clima en Medellín
☐ **7.** El español de Colombia
☐ **8.** Las esculturas de Botero en Medellín

47 **15**

Vuelve a escuchar y anota qué sabía o no sabía el amigo de Juana.

Temas	¿Qué (no) sabía?
1. Bogotá	No sabía que estaba tan alta.

 48

¿Y tú? ¿Qué información no conocías? Coméntalo con dos compañeros.

66

Pues yo tampoco sabía que Bogotá estaba en los Andes, pensaba que estaba cerca del mar... 99

Relaciona cada frase con su continuación más adecuada.

1. Quiero comprarme un móvil nuevo;
   el que tengo ya está pasado de moda.
2. Vaya, todavía tienes el teléfono que
   te regalaron tus padres hace tres años.

a. Aunque esté pasado de moda, aún funciona,
   así que de momento puedes aguantar con ese.
b. Sí, y aunque está pasado de moda, aún funciona,
   así que no pienso cambiármelo.

3. Tendríamos que ir a comprar algo para el
   cumpleaños de Roberto, pero yo estoy
   superocupado...
4. Buf, siento tener que pedirte que le compres tú
   el regalo a Roberto, sé lo ocupado que estás, pero...

a. No te preocupes, aunque no tenga mucho
   tiempo libre, yo me encargo de eso.
b. No te preocupes, aunque yo tampoco tengo
   mucho tiempo libre, encontraré algún hueco
   para ir a comprarlo.

Completa los siguientes diálogos con los verbos en el tiempo de subjuntivo adecuado.

1.

– Creo que podemos contratar a Elena como profesora

de italiano, tiene buenos conocimientos de lengua, ¿no?

Además, nació en Milán.

– No sé, aunque (ser) .... hablante

nativa, no estoy convencido, prefiero hacer más

entrevistas antes de decidirnos.

2.

– Cuando iba a la universidad, Lara no estudiaba

demasiado.

– Pues aunque no (estudiar) ....,

al final consiguió acabar la carrera.

3.

– No entiendo por qué no funciona la impresora, si la han

arreglado esta misma mañana.

– Es normal, aunque la (arreglar) ....

hoy otra vez, está ya muy vieja y se estropea cada dos

por tres.

Completa las siguientes frases de manera lógica.

1. Aunque mi exjefe ...., era
   justo con sus empleados.
2. A pesar de ...., no me
   aburrí para nada.
3. Aunque no ...., Mariana
   llama a su familia todos los días.
4. A pesar de ....,
   me acuerdo muy bien de todos mis compañeros
   de escuela.
5. Aunque ...., Beatriz no
   le cae muy bien al público.
6. A pesar de ...., José Luis
   recibe quejas todos los días.

52

Reformula las siguientes frases utilizando alguno de los nexos del recuadro, como en el ejemplo.

- **aun** + gerundio
- **a pesar de** + sustantivo
- **a pesar de** + infinitivo
- **a pesar de que** + frase
- **por muy... que** + subjuntivo
- **por mucho/a/os/as... que** + indicativo / subjuntivo

1. Habla muchas lenguas extranjeras. No le van a dar el trabajo.

Por muchas lenguas extranjeras que hable, no le van a dar el trabajo.

2. Tiene mucho dinero. No es feliz.

....

....

3. Es muy simpático. No tiene muchos amigos.

....

....

4. Sabe que no es el candidato ideal. Se va a presentar a ese puesto de trabajo.

....

....

5. Ha estudiado informática muchos años. No ha conseguido un buen puesto de trabajo.

....

....

6. Esta novela es muy difícil de leer. Tengo ganas de leerla.

....

....

53

Escucha este programa de radio sobre los latinos en Estados Unidos y completa el gráfico con los datos que faltan.

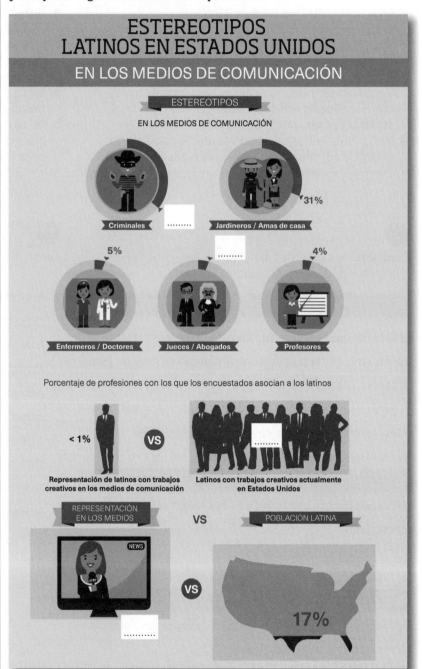

54

Comenta con tu compañero qué datos de la actividad anterior te sorprenden.

ARCHIVO
DE LÉXICO

55

¿A qué lugar se refiere cada definición? Completa.

1. Ruta o paso para cruzar entre montañas.

P   de m

2. Lugar por donde se une con el mar o con un lago.

D

3. Cima puntiaguda de una montaña.

P

4. Camino estrecho que se ha formado por el paso de personas y animales.

S

5. Pequeña península que penetra en el mar.

C

6. Paso subterráneo que permite la comunicación entre dos lugares.

T

7. Canal de agua que separa dos tierras próximas y comunica dos mares.

E

8. Serie de montañas enlazadas entre sí.

C

9. Gran extensión de tierra plana.

L

10. Gran depósito artificial de agua que suele cerrar la boca de un valle.

E

56

¿Hay alguno de estos lugares, u otros similares, cerca de donde vives? Habla de ello con tus compañeros.

“

Cerca de mi casa hay un embalse muy grande, el embalse de Lama, está a dos horas de mi casa. Lo crearon hace unos 50 años y se encuentra en un parque natural. Voy mucho a pasear por allí los fines de semana…

”

57

¿Cuál es, para ti, el clima perfecto? ¿Por qué?

58

Anota el nombre de lugares que cumplan estas características.

Tiene un clima muy suave:

....

Tiene un clima muy seco en verano:

....

Tiene un clima lluvioso en verano:

....

Su clima es mediterráneo:

....

Su clima es continental:

....

Su clima es desértico:

....

Su clima es tropical:

....

En invierno hace muy mal tiempo:

....

En invierno hace muy buen tiempo:

....

Su clima en primavera es muy inestable:

....

59

Lee este texto acerca del clima de la isla de Mallorca y responde a las preguntas.

La isla de Mallorca tiene un clima mediterráneo con temperaturas medias templadas y lluvias estacionales.

Lluvia

El 40% se concentra en los meses que van de septiembre a noviembre, mientras que en los meses de verano, de junio a agosto, cae solo un 10% del total de la lluvia anual.

En invierno a veces nieva en la zona montañosa, la sierra de Tramuntana, situada al noroeste de la isla. La estación de otoño es, por tanto, la más húmeda y la de verano es la más seca.

Temperaturas

La media anual es de unos 17 °C. Durante los meses de invierno, es cuando la temperatura es más baja, en algunas partes de la isla se alcanzan mínimas de unos 5 °C. Los meses de verano son templados y las máximas giran alrededor de los 30 °C.

1. ¿Qué tipo de clima tiene Mallorca?

....

2. ¿En qué meses llueve menos en la isla?

....

3. ¿En qué zona de la isla puede llegar a nevar?

....

4. ¿Qué temperaturas mínimas puede haber en la isla?

....

 60

Lee esta entrevista a la actriz y cantante Leonor Watling, y relaciona las preguntas con las respuestas.

1. ¿En qué lugar del mundo se ha sentido más feliz?

2. Describa su vista favorita.

3. ¿Algún placer inconfesable cuando va de viaje?

4. Describa un recuerdo de las vacaciones de su niñez.

5. ¿Cuál fue el *souvenir* más lamentable que compró en un viaje?

6. ¿Cuál fue el personaje más extraño que ha conocido en sus viajes?

7. ¿Mochilera o en plan lujo?

8. Describa un plato memorable que probó durante un viaje.

9. Mencione algo que nunca falta en su maleta...

a. Un poeta rapero neoyorquino llamado Joe. Era un hombre muy mayor que siempre estaba en el bar del Soho donde yo tomaba cerveza o café, según el momento del día. Se notaba que era un personaje del barrio.

b. La mezcla es lo que más me gusta: es el estado ideal. Ni todo el tiempo mochilera y montada en caravana ni siempre a todo lujo. Es bonito cenar en el restaurante de un *camping* algo que te mueres de rico, y también de vez en cuando ir a un hotelazo con piscina, si puedes.

c. Fue en Mallorca, en el restaurante Brut que está en Llubí. Toda la cena fue alucinante y allí comí ancas de rana por primera vez.

d. En Ciudad de México. He estado muchas veces y, ya desde la primera, siempre me pongo de buen humor nada más llegar. Me encanta su exceso de olores, de sabores... Las sensaciones, aun sin mezcal, son alucinantes.

e. El cañón del río Duratón, en Sepúlveda, cerca de Segovia. Allí todo está en un mismo tono: el río, los árboles...

f. Las vacaciones en el País Vasco francés, y también en Hondarribia, cerca de Donosti. No eran las más habituales, por eso las recuerdo con tanto cariño. Las que pasábamos en Sepúlveda, en cambio, eran más largas y frecuentes.

g. Siempre meto un cuaderno en el que anotar y dibujar impresiones.

h. Compro bastantes cosas absurdas. Seguramente lo más ridículo sea un cenicero de metacrilato con caracolas que encontré en algún lugar costero.

i. Inconfesable de verdad, no tengo ninguno. Lo más cercano a eso es mi gusto por visitar papelerías en cada ciudad que piso.

61 🔊

Ahora contesta tú a las preguntas del cuestionario según tu experiencia como viajero.
Luego pon en común tus respuestas con tus compañeros.

1. ....

2. ....

3. ....

4. ....

5. ....

6. ....

7. ....

8. ....

ESCRITURA

62

Busca información en internet sobre un parque nacional de tu país y completa la ficha.

1. Localización

2. Extensión

3. Fecha de creación como parque nacional

4. Clima

5. Datos históricos

6. Fauna y vegetación

7. Estado del parque en la actualidad

63 🔁

Redacta ahora un texto para una revista con la información que has recopilado sobre el parque y busca alguna fotografía para ilustrarlo.

64

Elige dos de las siguientes rutas, busca la información que necesites y escribe un texto para cada una como los de la página 66 del Libro del alumno.

> **1. Ruta Patrimonial Huellas de Pablo Neruda (Chile)**
> **2. Ruta literaria por el Madrid del Siglo del Oro**
> **3. Ruta de los Dioses mexicanos**
> **4. Ruta de los "Pueblos Patrimonio" (Colombia)**
> **5. Otra ruta**

65 👥

Comparte tus textos con un compañero y cuéntale por qué has elegido esas rutas.

66

Busca a alguien en tu entorno que conviva con más de una cultura para hacerle una entrevista.

Tienes que:

- pensar en varias preguntas que te gustaría hacerle;
- redactar una entrevista;
- hacerle la entrevista;
- escribir un texto usando los recursos para hablar de la identidad que aparecen en el Archivo de léxico.

67

Comparte tu texto con el resto de la clase.

68

Elige una de las siguientes ciudades o regiones y busca en internet cómo es su clima. Redacta un pequeño texto como el de la isla de Mallorca.

- **Gran Canaria (España)**
- **Santa Marta (Colombia)**
- **Ciudad de México (México)**
- **Tierra del Fuego (Argentina)**

69

Leed vuestros textos a los compañeros. ¿Cuál es el lugar que más te gusta por su clima?

EN CUERPO Y ALMA

01
OJO, CUIDADO

 1

Completa estas frases con las construcciones verbales de la actividad A de la página 79 del Libro del alumno. Puede haber varias posibilidades.

1. Pues, a Gerardo .... al final del partido y han tenido que cambiarlo.

2. ¿Te has enterado? Irene ha tenido que ir al hospital. .... con un juguete del niño, se .... al suelo y se .... profunda en la rodilla.

3. ¡Qué cena! La abuela de Luisa .... con un trozo de carne y Maite .... con algo que estaba en mal estado.

4. Seca el suelo del baño. Puedes .... y .... o .... con la bañera o con el lavabo.

5. He estado cortando unas rosas y me he debido de .... una espina en el dedo. Me molesta cuando me toco.

 2

Relaciona los elementos de cada columna.

1. accidentes	a. cardiovasculares
2. enfermedades	b. accidentes
3. prestar	c. atención
4. prevenir	d. útiles
5. recomendaciones	e. domésticos

 3

¿Cómo se expresan estas ideas en el texto "Ojo, cuidado"?

1. Nuestra casa es menos segura de lo que pensamos.

2. Mucha gente muere como consecuencia de accidentes domésticos.

3. Los datos sobre accidentes en el hogar son sorprendentes.

4. Las personas mayores y los niños tienen más accidentes.

④

Escribe los consejos que recuerdas del texto "Seguros en casa. ¿Cómo evitar riesgos?".

1. Para evitar caídas

....

....

2. Para evitar intoxicaciones

....

....

3. Para evitar heridas y golpes

....

....

4. Para evitar problemas con la electricidad

....

....

5. Para evitar atragantamientos

....

....

6. Para evitar quemaduras

....

....

7. Para evitar ahogamientos

....

....

⑤

Vuelve a leer el texto para comprobar tus anotaciones. Fíjate en cómo se expresan los consejos en el texto para mejorar los que has escrito y añade algunos más.

⑥

Anota diez palabras o expresiones de los textos de las páginas 78 y 79 del Libro del alumno que quieras recordar.

⑦ 🔊 17-19

Escucha de nuevo las conversaciones de la actividad D y señala si las siguientes afirmaciones son verdaderas (V) o falsas (F).

Diálogo 1	V	F
1. Venían sus suegros a comer.	☐	☐
2. Se le cayó agua hirviendo en las piernas.	☐	☐
3. Vino a buscarla el helicóptero de los bomberos.	☐	☐
4. Van a quedarle cicatrices feas.	☐	☐

Diálogo 2	V	F
1. El accidente fue culpa de su compañera de piso.	☐	☐
2. Echó el café, pero no cerró bien la cafetera.	☐	☐
3. Afortunadamente, estaba solo ella en la cocina.	☐	☐
4. La cafetera no se rompió.	☐	☐

Diálogo 3	V	F
1. Estaba metiendo los platos en el lavavajillas.	☐	☐
2. Se asustó mucho.	☐	☐
3. Dejó de sangrar gracias a su vecino.	☐	☐
4. Su vecino lo llevó a urgencias.	☐	☐

8 **17-19**

Escucha de nuevo las conversaciones y resume en una línea lo que le pasó a cada persona.

Persona 1: ....

Persona 2: ....

Persona 3: ....

9 **20-22**

Escucha los siguientes fragmentos de los diálogos anteriores y completa los espacios en blanco con la información del audio. Comprueba después tus respuestas con la transcripción.

DIÁLOGO 1

A: ¡Hola! ¿Qué tal?

B: Mira, mejor, mejor. ....

A: .... de que has estado un mes en el hospital.

B: Un mes, sí, chico, un mes.

A: Pero, ¿qué te pasó?

B: .... Mira, es un accidente de esos tontos que pasan...

A: ....

DIÁLOGO 2

A: Y volví a la cocina y había explotado... se había salido todo el café por todas las paredes, por el techo...

B: ....

A: Bueno, ...

B: ....

B: Bueno, me pegué .... Lo bueno es que no había nadie en la cocina, entonces no fue...

DIÁLOGO 3

A: Bueno, se quedó un trozo de piel, de piel y carne fuera.

B: Y te han puesto puntos, ...

A: ....

B: ¡¿No?!

A: Me pusieron estos... ...., porque aquello empezó a sangrar. Era incapaz de contener, de parar la hemorragia...

10

Busca en la transcripción las siguientes frases. ¿Las entiendes? Tradúcelas a tu lengua.

	En mi lengua
Bueno, vaya, menos mal.	....
Por suerte, no pasó más, pero vaya susto.	....
Bueno, se nota un poco.	....
Lo que sí noto es una sensibilidad especial.	....

11

Piensa en un accidente doméstico que hayas tenido tú o alguien a quien conozcas. Busca el vocabulario que necesites y escribe en una frase lo que pasó.

....

....

....

....

....

....

....

....

....

....

....

....

12

Ahora cuéntaselo a tu compañero. Él va a reaccionar y te va a hacer preguntas para conocer los detalles.

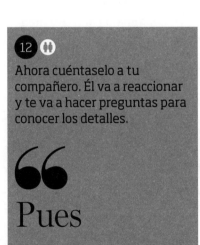

Pues
una vez…

13

¿Qué crees que se debe hacer en caso de incendio y qué no? Coloca los siguientes consejos en la columna correspondiente y comenta tus respuestas con un compañero.

- **Pegarse a las paredes para salir.**
- **Usar agua para apagar el fuego.**
- **Encender la luz.**
- **Apagar la fuente de humo.**
- **Arrastrarse por el suelo.**
- **Abrir puertas o ventanas.**
- **Mojar un pañuelo o toallas.**
- **Usar el ascensor.**
- **Utilizar las escaleras.**

Qué se debe hacer	Qué no se debe hacer
Pegarse a las paredes para salir.	

—Debes pegarte a las paredes porque es más seguro que ir por el centro de las habitaciones.
—Sí, es verdad.

14

¿Sobre qué nos da recomendaciones este folleto?

EN EL CASO DE QUE ....

- No aplique el hielo sobre la herida, excepto que esté envuelto en un pañuelo.

- Nunca use agua para limpiar la herida, a no ser que sea agua de mar.

- Es aconsejable administrar un antihistamínico al paciente, salvo si se trata de una mujer embarazada.

- No frote la zona afectada con una toalla ni con arena, aunque sienta un picor intenso.

- Si hay restos de tentáculos, no los quite con las manos, a no ser que lleve guantes.

- Acuda lo antes posible al puesto de vigilancia de la playa.

15

Termina las recomendaciones y escribe cuatro más. Después, votad en la clase los cinco mejores consejos.

RECOMENDACIONES PARA NO ENAMORARSE

No mires muy fijamente a una

persona,excepto si ....

....

En el caso de que el corazón

empiece a latirte muy rápido,

....

....

1. ....

....

2. ....

....

3. ....

....

4. ....

....

 16

Ahora escribe tú cinco recomendaciones para otras cosas (para hacer buenos regalos, para bailar bien...). Tus compañeros deben adivinar de qué se trata.

 17

Completa los textos con los pronombres adecuados de OD y OI, de acuerdo con la situación. Recuerda que los pronombres pueden ir delante o detrás del verbo, según el tiempo verbal.

Situación

1

– La niña está mala. Parece que tiene fiebre.

– ¿........................ has puesto .... el termómetro?

– No, no .... he puesto ....

.... Pon .... tú, por favor. Yo .... estoy dando .... de comer al niño.

[Un poco después]

– Sí, tiene fiebre. ¿........................ doy .... el jarabe?

– .... da .... una pastilla mejor, pero no .... des .... hasta después de comer.

– No, claro. .... hago .... una tortilla, ¿no?

– Sí, pero no .... hagas .... de jamón. Ya sabes que no .... gusta .... mucho.

– Vale.

Situación

2

– Oye, ¿y si nos vamos a la playa? Hoy no habrá mucha gente.

– Genial. ¡¿........................ digo .... a Amanda que se venga con nosotros?

– No, no .... digas .... Tiene que estudiar, así que no .... des .... envidia.

– Es que .... quiero pedir .... la sombrilla para el sol.

– .... pide .... a su compañera de piso y .... di .... que es para otra persona.

– Bueno, no .... diré .... entonces. ¿Y a Antonio? ¿........................ digo .... a él?

– .... di .... si quieres, pero no .... digas .... que voy yo y así le doy una sorpresa.

– Vale, como quieras.

18

Transforma estas peticiones para hacerlas más o menos directas.

Peticiones menos directas	Peticiones más directas
¿Le das tú de comer al perro, por favor?	*Dale de comer tú.*
¿Se lo dices al jefe, por favor?	
	Ponle el pijama a la niña.
	Pídesela.
La llave... ¿me la das luego, por favor?	
¿Me llamas más tarde, por favor?	

19

¿Qué consejos o instrucciones pueden dar unos padres a sus hijos adolescentes que se van de acampada? Usa los verbos en imperativo.

– *Poneos la crema solar.*

20

Relaciona los elementos de las columnas para formar principios de frases y añade información personal para completarlas.

Nunca	me ducho por la noche	salvo que
Siempre	me gasto demasiado en comida	a no ser que
No	compro ropa de segunda mano	excepto que
Solo	salgo sin móvil	excepto si
Solamente	viajo en coche con desconocidos	en (el) caso de
Únicamente	iría solo/a de viaje	en (el) caso de que
Ø	saldría con alguien mucho mayor que yo	si
	volvería a salir con un/a ex	
	viviría en el extranjero	

Nunca me ducho por la noche, a no ser que haya hecho deporte.

21

Transforma las siguientes frases sustituyendo **poner** por un verbo del recuadro y haciendo los cambios necesarios.

> • **introducir** • **guardar** • **dejar**
> • **colocar** • **meter** • **instalar**
> • **cubrir** • **colgar**

1. Ya **he puesto** la leche en el frigorífico.

2. ¿Por qué no **pones** el cuadro en la pared del salón?

3. Para entrar en la página, tienes que **poner** el nombre de usuario y la contraseña.

4. No sé dónde **poner** estos papeles. No quiero que se pierdan.

5. **Ponle algo encima** al cuadro, que no le dé la luz.

6. ¿Y si **ponemos** el coche más cerca, que podamos verlo desde la playa?

7. Si queréis vivir aquí todo el año tenéis que **poner** calefacción.

8. Es mejor **poner** los libros en orden alfabético, así se encuentran más fácilmente.

22

Relaciona los elementos de las columnas para formar recomendaciones lógicas.

Puedes cubrir	el sofá	en el garaje.
Yo guardaría	la cama	en la estantería.
Coloca	los libros	junto a la pared.
No metas	la tarjeta	con un plástico.
Es mejor dejar	las cajas	en el camión de mudanzas.
Creo que voy a instalar	la chaqueta	en el perchero.
Tienes que introducir	el aire acondicionado	en la basura.
Quiero colgar	los esquíes	debajo del armario.
	la moneda	en el frigorífico.
	el cuadro	en mi dormitorio.
	las botellas de leche	con la manta.
	el coche	en la ranura.

23

Relaciona cada frase con su continuación más adecuada.

1. Este verano he leído *Las aventuras de Tom Sawyer*.
2. No me he leído aún la novela que me dejaste.

a. Me ha gustado mucho.
b. Voy por la mitad.

3. ¿Bebes leche?
4. ¿Te has bebido ya la leche?

a. A mí me sienta mal la lactosa.
b. ¿Puedo llevarme el vaso?

5. He roto
6. Me he roto

a. el fémur.
b. la cafetera.

7. Dio un golpe en la mesa
8. Se dio un golpe con la mesa

a. al levantarse.
b. para llamar la atención de los invitados.

9. Te has comido
10. Has comido

a. todo el arroz.
b. arroz.

24

Escribe parejas de frases similares a las de la actividad anterior con los siguientes verbos, uno con pronombre y otro sin él. Añade una continuación que deje claro su significado.

quemar: ....
....

quemarse: ....
....

bañar: ....
....

bañarse: ....
....

comer: ....
....

comerse: ....
....

02
¿TE ENCUENTRAS MAL?

 25

Marca en qué situación del vídeo sucede lo siguiente, o si no sucede en ninguna.

	1	2	3	En ninguna
1. Le cuesta levantarse.	☐	☐	☐	☐
2. El protagonista está pálido.	☐	☐	☐	☐
3. Pide que lo acompañen a casa.	☐	☐	☐	☐
4. Estaba corriendo antes del accidente.	☐	☐	☐	☐
5. No quiere ir al hospital.	☐	☐	☐	☐
6. Le piden que se tumbe.	☐	☐	☐	☐
7. Va a apoyarse en otra(s) persona(s).	☐	☐	☐	☐
8. Le ofrecen avisar a otra persona.	☐	☐	☐	☐
9. Comenta que vive cerca.	☐	☐	☐	☐
10. Pide que le den su medicación.	☐	☐	☐	☐
11. Pide que avisen a un amigo.	☐	☐	☐	☐

 26

¿Qué debemos hacer si alguien ha tomado demasiado el sol y tiene una insolación? Haz una lista de recomendaciones. Puedes buscar en internet para completarla. Después, compara tu lista con la de otros compañeros.

Se debe...	No se debe...
tumbar a la persona en el suelo.	darle bebidas excitantes.

27

Completa las combinaciones de palabras con los verbos del recuadro.

> - **mejorar**
> - **tener**
> - **sufrir**
> - **respirar**
> - **aflojar**
> - **acostar (a una persona)**

1. .... **un desmayo**

2. .... **arriba**

3. .... **el riego sanguíneo**

4. .... **la ropa**

5. .... **vómitos**

6. .... **profundamente**

28

Escribe un ejemplo con cada combinación de palabras de la actividad anterior.

1. El anciano sufrió un desmayo como consecuencia del calor y se cayó al suelo.

2. ....

3. ....

4. ....

5. ....

6. ....

Vuelve a ver el vídeo (o lee la transcripción). ¿Qué instrucciones le dan al protagonista en cada situación?

1. En la situación 1, la mujer le dice...	2. En la situación 2, los chicos le dicen...	3. En la situación 3, el chico le dice...
que beba un poco de agua,		

Escucha la primera situación del vídeo mientras lees la transcripción. Fíjate especialmente en la entonación.

–Ay, perdona. Verá, es que no me encuentro muy bien...
–¿Qué te pasa?
–No sé. Me cuesta respirar un poco...
–Uy, espera, espera un momento, un momento. Toma, bebe un poco.
–Vale, gracias.
–Estás temblando... No bebas de golpe, no bebas de golpe.
–Vale.
–¿Qué te pasa? Estás pálido...
–Que no sé, que se me está nublando un poco la vista y todo.
–Ven, túmbate, túmbate aquí. Échate para acá. Eso es. Túmbate. Así, sube los pies.
–Es que no sé qué me ha *pasao*, estaba corriendo...
–¿Qué notas? Pero ¿qué notas?
–No sé... que me... el pecho, me cuesta respirar. No veo nada.
–¿Sabes qué? El hospital de San Pablo está aquí al lado; voy a llamar...
–No, no, no...
–Uy, sí, sí...
–No, no te vayas, no te vayas...
–Si no me voy... Si me voy a quedar aquí, no te preocupes. Yo te acompañaré.
–Me pondré bien, pero es un momento, ¿vale?
–Espérate un momento. Voy a llamar a urgencias. Es un momento. Además... es que estás muy pálido. No me gusta nada, ¿vale?
–¡Que es broma! ¡Que mira a la cámara, mira, mira, nos están grabando! ¿No lo ves? ¡Que es broma!
–¿Cómo que es broma?
–Sí, mira, ¡saluda, saluda a la cámara!

En parejas, leemos la conversación entonando como en el vídeo.

Ahora, sin leer, representamos la escena. ¿Nos acordamos de todo?

¿Cuál de las siguientes características de la lengua oral te ha llamado más la atención en el diálogo anterior? Subraya algunos ejemplos en la transcripción para comentarlos con tus compañeros.

1. Hay muchas frases inacabadas.

2. Se repiten algunas oraciones.

3. Se usa mucho la palabra **vale**.

4. Otra:

34

¿Existen los mecanismos de la actividad anterior en tu lengua? ¿Son las conversaciones muy diferentes de como serían en tu país? Explica en qué cambiarían.

 36

Fíjate en las siguientes imágenes. ¿Qué crees que puede pasar o haber pasado? Formula hipótesis utilizando el futuro simple, el futuro compuesto, **igual** o **debe de**. Después, compáralas con las de un compañero. ¿Se parecen?

Será la habitación de un ladrón y habrá oído la sirena del coche de policía...

....

....

....

....

 35

Vamos a preparar otra secuencia para nuestra cámara oculta. Con dos compañeros de clase, pensad una situación parecida a las anteriores. Preparad bien el diálogo y ensayad la escena antes de grabarla o representarla delante de la clase.

....

....

....

....

....

37

En parejas. Escribid el nombre de un famoso diferente en cada espacio. Uno pregunta, como en el ejemplo, y otro da una posible razón por la que la persona actúa así.

Acabamos de ver a _Messi_ .... **dormido en la pausa.**

.... **hablando por teléfono muy enfadado/a.**

.... **entrar al baño con una ropa y salir con otra.**

.... **hablar con una mujer en un español perfecto.**

.... **muy emocionado/a en la cafetería.**

.... **tumbado/a en el suelo sin moverse.**

.... **tocando la guitarra a la puerta de la escuela.**

.... **haciendo fotos a todo el que pasa por su lado.**

.... **con un paquete de 20 bocadillos de jamón.**

> 66
>
> —¿Por qué estará tan cansado? —Estará entrenando mucho esta semana.
>
> 99

38

¿Qué podemos decir al despedirnos de una persona que nos ha contado...

... que tiene gripe?

¡Que te mejores! ....

... que está buscando piso?

....

... que va a hacer una entrevista de trabajo?

....

... que se va a examinar del carné de conducir?

....

... que va a pasarse la tarde trabajando?

....

... que va a hacer un viaje?

....

... que se casa?

....

---

39 **23-25**

Escucha estas conversaciones en las que algunas personas no se sienten bien y toma notas en tu cuaderno. Luego responde a las preguntas completando los espacios en blanco.

1.

¿Qué le pasa?

Le ha sentado mal .... **. Está** ....

y le .... **porque tiene** ....

2.

¿Qué tal está de la alergia?

Se .... **. Este año las pastillas no** ....

y no .... **concentrarse como el año pasado.**

3.

¿Qué le ha pasado?

.... **en el codo. Al parecer, no ha visto que la**

ventana estaba abierta y se .... **un golpe.**

40

¿Qué dices en las siguientes situaciones? Elige la opción correcta en cada caso.

1. Te das un golpe.
2. Hablas del efecto de un medicamento.

a. Me da dolor de cabeza.
b. ¡Cómo me duele!

3. Se cae alguien delante de ti.
4. Le das un golpe a alguien.

a. ¿Te has hecho daño?
b. ¿Te he hecho daño?

41 🔊 **26-28**

¿Qué les pasa a estas personas? Toma notas de los problemas y de los detalles.

1.

2.

3.

42

¿Qué consejos les darías a las personas de la actividad anterior?

1. ....

2. ....

3. ....

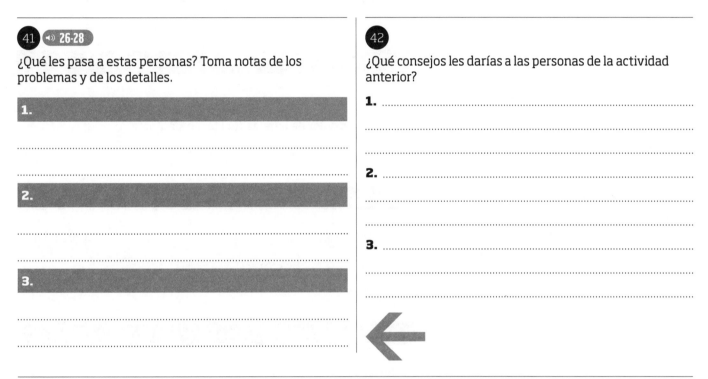

43 👥

Prepara un ejercicio para un compañero. Escribe cinco pequeños diálogos como el del ejemplo, incluyendo algunas de las expresiones del recuadro y dejando un espacio en blanco en cada diálogo para que tu compañero los complete.

- • **Tener hinchado / roto...**
- • **Dar sueño / sed / dolor de...**
- • **Hacerse daño en...**
- • **Doler**
- • **Hacerle daño a alguien**
- • **Sentar mal / fatal**
- • **Estar mareado/a**
- • **Estar temblando**
- • **Costar tragar / caminar**

—¿Qué te pasa?

Pareces cansado.

—No, es que tomo unas pastillas

que _____.

—Que...
¿"me dan sueño"?
—Sí, muy bien.

¿Puedes explicarle a un compañero, de manera más sencilla, cómo tomar este medicamento? Luego te lo explica él a ti. ¿Lo habéis hecho igual o hay diferencias?

En caso de náuseas, mareos y dolor abdominal, suavice el tratamiento. No lo interrumpa bruscamente, ya que pueden producirse efectos adversos serios, como alteración nerviosa y ansiedad. Reduzca la dosis en las siguientes tomas y espácielas entre 4 y 6 horas hasta que desaparezcan los síntomas. Si estos persisten en el plazo de 24 horas, consulte inmediatamente con un especialista.

En caso de experimentar los siguientes efectos adversos, acuda a un servicio de urgencias.

• hinchazón de las extremidades
• enrojecimiento de la piel y picor
• pérdida de visión y trastornos transitorios de la conciencia
• escalofríos y fiebre alta
• estreñimiento

¿Qué problemas de salud o molestias sueles tener? ¿Cómo se lo contarías a un compañero?

Si paso mucho tiempo seguido sentado, me empieza a doler la espalda y...

Completa las excusas con expresiones del recuadro y escribe una reacción apropiada con los recursos de la página 85 del Libro del alumno. No hay que usar todas las expresiones.

> • **no me siento bien**
> • **que me he hecho daño en un pie**
> • **al final no voy a poder**
> • **es que no puedo acompañaros**
> • **me ha sentado mal la comida**
> • **que vayas sola**

1. Ir al fútbol

A: Oye, ... ir contigo al partido. Es que tengo un dolor de muelas fuerte. Lo siento.

B: ....

....

2. En el trabajo

A: ¿Pablo? Mira, ... Es que no he dormido y estoy hecho polvo. ¿Puedes avisar tú a Pedro?

B: ....

....

3. Una cena con amigos

A: Hola, soy Verónica. Que no me esperéis, ... y tengo náuseas. Creo que voy a acostarme.

B: ....

....

03
¿SOMOS LO QUE COMEMOS?

48 Compara tus respuestas con las de un compañero. ¿Expresan las mismas ideas?

47

Vuelve a leer los textos de las páginas 86 y 87 del Libro del alumno y continúa con tus palabras los siguientes enunciados.

1. Lo esencial del *clean eating* es ....

....

2. Los defensores de la dieta paleolítica sugieren ....

....

3. Los alimentos "sin" o "libres de" son ....

....

4. Los seguidores del crudivorismo creen que ....

....

5. La posición fundamental de los veganos es que ....

....

6. Para sus seguidores, los superalimentos tienen la ventaja de que ....

....

49

¿A qué tendencias alimentarias del texto "¿Somos lo que comemos?" se refieren estas afirmaciones?

	La dieta paleolítica	Los alimentos "libres de"	Los superalimentos	Los "vegganos"	El crudivorismo	El veganismo	Clean eating
1. No aceptar la utilización de los animales.	☐	☐	☐	☐	☐	☐	☐
2. No consumir alimentos procesados.	☐	☐	☐	☐	☐	☐	☐
3. Alimentarse de la forma más natural posible.	☐	☐	☐	☐	☐	☐	☐
4. Dejar de cocinar los productos.	☐	☐	☐	☐	☐	☐	☐
5. Introducir ciertos alimentos ricos en nutrientes en la dieta.	☐	☐	☐	☐	☐	☐	☐
6. No usar conservantes alimenticios.	☐	☐	☐	☐	☐	☐	☐
7. Dar prioridad a los alimentos orgánicos.	☐	☐	☐	☐	☐	☐	☐
8. Consumir sobre todo vegetales.	☐	☐	☐	☐	☐	☐	☐
9. Ajustar la proporción de cada tipo de alimento.	☐	☐	☐	☐	☐	☐	☐
10. Complementar la dieta con vitaminas.	☐	☐	☐	☐	☐	☐	☐

50

¿Qué objeciones plantean los expertos a los seguidores de estas dietas?

Nuestro cuerpo tiene necesidades diferentes a las de hace dos millones de años, por eso...

51

Continúa las frases de modo que quede claro el significado de la forma verbal.

1. ¿**Os sentís** bien en clase? Si tenéis algún problema, decídmelo.

2. ¿**Nos sentamos** mejor en el suelo?

3. Nos sentimos bien en su casa.

4. Nos sienta bien estar de vacaciones.

5. Le sienta estupendamente ese color.

6. Os sentáis siempre al lado de la ventana.

7. ¿**No te sientes** bien esta mañana?

52

¿Qué verbo se usa en cada frase? Márcalo.

	sentirse	sentarle	sentarse
1. Adela se siente fatal. Ayer se cayó esquiando y le duele todo.	☐	☐	☐
2. Wei se sienta muy mal. Por eso tiene problemas de espalda.	☐	☐	☐
3. A Mohamed le sienta muy bien la playa. Vuelve muy relajado.	☐	☐	☐
4. Le sentó muy bien cambiar de trabajo y tener más tiempo libre.	☐	☐	☐
5. Se sintió cansada cuando llegó a casa.	☐	☐	☐
6. Se sentó un rato y luego se fue.	☐	☐	☐

53

Escribe dos frases con cada uno de los verbos anteriores (en persona y tiempo diferentes) y pregunta a tu compañero de qué verbo se trata.

54

Fíjate en la imagen. ¿Qué conclusiones puedes sacar con respecto al consumo medio de estos productos en cada país?

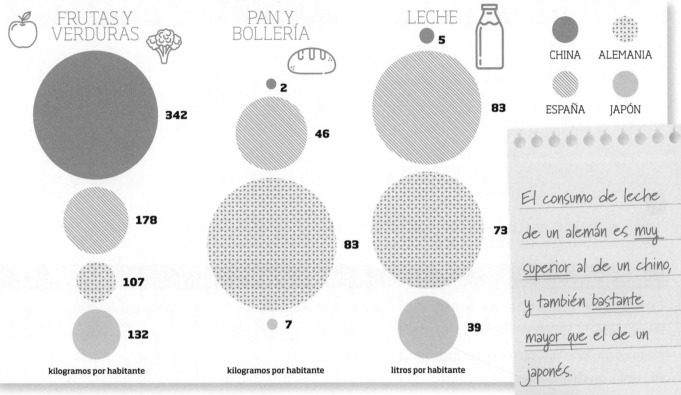

FRUTAS Y VERDURAS — 342 — 178 — 107 — 132 — kilogramos por habitante

PAN Y BOLLERÍA — 2 — 46 — 83 — 7 — kilogramos por habitante

LECHE — 5 — 83 — 73 — 39 — litros por habitante

CHINA   ALEMANIA
ESPAÑA   JAPÓN

El consumo de leche de un alemán es muy superior al de un chino, y también bastante mayor que el de un japonés.

Fuente: "El gasto en alimentos básicos 2015". EAE Business School

55

Completa esta tabla con información personal. Después, habla con tus compañeros y comparad vuestros datos, utilizando los recursos de la Agenda de aprendizaje.

1. ¿Cuántas veces a la semana tomas carne?	2. ¿Cuántas veces a la semana comes pescado?
3. ¿Cuántos huevos a la semana tomas?	**4. ¿Cuánto pan comes al día?**
5. ¿Cuánta fruta y verdura comes al día?	**6. ¿Cuántos productos lácteos consumes al día?**

56

¿Crees que tus hábitos alimentarios son habituales en tu país? Coméntalo con tus compañeros.

« Yo quizá no soy muy representativa porque no tomo leche ni como carne y, en general... »

57 **29-31**

Escucha de nuevo las conversaciones de la página 89 del Libro del alumno.
Anota qué hábitos compartes con cada uno de los pacientes.

1. Con Paloma	2. Con Leandro	3. Con Silvia
Yo tampoco tomo muchas legumbres...		

58

Localiza estas frases en la transcripción de las conversaciones. ¿Qué expresiones puedes usar para sustituir las palabras subrayadas en estos enunciados? Luego, traduce a tu lengua cada ejemplo.

	Otra forma de decirlo	En mi lengua
Como muy bien, <u>o sea</u>, me gusta cocinar.		
No, no... <u>eso no</u>. Ni patatas, ni pasta.		
Me tomo un bocadillo, un cruasán. <u>Cosas así.</u>		
Un menú, una hamburguesa. <u>Lo que sea.</u>		

59

Escribe en tu cuaderno cinco frases sobre ti usando algunas de estas combinaciones de palabras.

- **Ser intolerante**
- **Comer bien/mal**
- **Productos ecológicos**
- **Comida rápida**
- **Carne/s magra/s**
- **Pieza/s de fruta**
- **Bajar de peso**
- **Comer fuera de casa**
- **Picar entre horas**
- **Hacer la compra**
- **Ser (muy) goloso/a**
- **Tomar (mucho) café**
- **Cambiar hábitos**

60

Esta es la dieta de Sandra. Dale consejos para mejorarla.

- Toma carne todos los días, sobre todo de ternera.
- No toma nada de pescado o mariscos. Solo, a veces, gambas.
- Con frecuencia consume dos huevos al día. Son fáciles de hacer.
- No come pan ni pasta porque engordan mucho.
- Toma una pieza de fruta al día.
- Compra a menudo comida preparada porque no tiene mucho tiempo para cocinar.
- Es alérgica a la leche, así que no toma productos lácteos.
- Compra productos energéticos para sustituir algunas comidas.
- No consume mucho azúcar, pero sí le encanta la sal.

Tal vez podrías tomar menos carne...

61

Comparte tus consejos con un compañero. ¿Le habéis aconsejado a Sandra cosas parecidas?

ARCHIVO
DE LÉXICO

62

Haz una lista en tu cuaderno con todas las partes del cuerpo que has
aprendido en esta unidad. Agrúpalas por categorías.

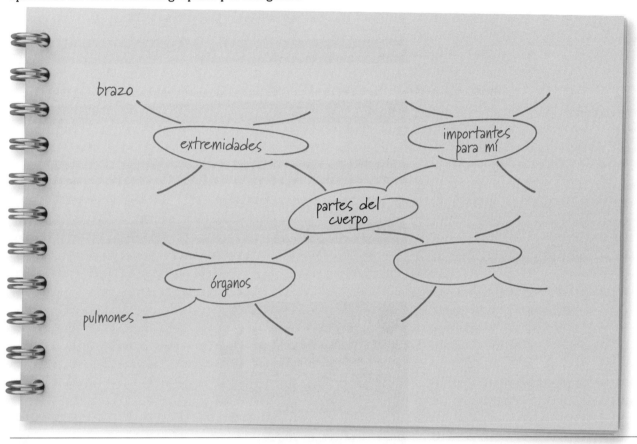

63

¿A qué especialista irías si tuvieras estos problemas?

Problemas	Especialista
1. Te resfrías con mucha facilidad y no puedes respirar bien.	
2. Te han salido unas manchas en la piel.	
3. Tienes problemas musculares en la mano por usar el ordenador.	
4. Te has roto una pierna.	
5. Te duele el estómago con frecuencia.	
6. Quieres adelgazar.	
7. Tienes problemas de concentración y a veces ansiedad.	

64

¿Qué alimentos son ricos en los siguientes componentes? Tienes tres minutos para escribir el máximo número de palabras posible en cada serie.

vitaminas: ....

....

....

proteínas: ....

....

hidratos de carbono: ....

....

minerales: ....

....

....

fibra: ....

....

....

grasas: ....

....

....

colorantes: ....

....

....

conservantes: ....

....

....

azúcar: ....

....

....

65

Busca palabras de la unidad que signifiquen lo siguiente.

1. Lo haces cuando encuentras un asiento libre en el autobús.

S ....

2. Temperatura corporal elevada.

F ....

3. Para buscar algo debajo de la cama, tienes que hacerlo.

A ....

4. Si tienes niños, visitas a este médico con frecuencia.

P ....

5. Puedes contraerla en invierno y te obliga a estar en la cama.

G ....

6. Médico especialista en el corazón.

C ....

66

Ahora tú. Elige seis palabras de la unidad y escribe una definición de cada una. Tus compañeros tienen que adivinarlas.

ESCRITURA

67

Te vas de vacaciones una semana y vas a dejar a un amigo a cargo de tu perro y de tu gato. Escríbele un correo explicándole lo que debe hacer. Piensa también qué situaciones problemáticas pueden darse y dile lo que debe hacer en cada una.

Para:

Asunto:

68

¿Cómo son los hábitos alimentarios de tu país? ¿Se parecen en todo el país o hay muchas diferencias según las zonas, las generaciones, etc.? Haz un guion con las ideas principales y después escribe en tu cuaderno un texto explicándolo.

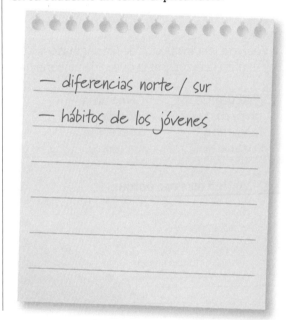

— diferencias norte / sur

— hábitos de los jóvenes

69

¿Qué aspectos positivos piensas que tiene el veganismo? ¿Y negativos? Haz aquí una lista.

Aspectos positivos	Aspectos negativos

70

Escribe ahora en tu cuaderno un texto para la revista del centro en el que estudias defendiendo tu opinión sobre el veganismo. Presenta argumentos a favor de tu postura, pero considera también argumentos en contra y rebátelos. Escribe entre 180 y 200 palabras. Para prepararte, puedes consultar artículos y debates en internet.

INCREÍBLE, PERO CIERTO

01
TIERRA, TRÁGAME

 1

Vuelve a leer los textos de las páginas 94 y 95 del Libro del alumno y explica la razón por la que cada persona hace su comentario.

"Me quedé un poco cortada, la verdad".
Cristina

"No sabía dónde meterme".
Fernando

"Me quería morir".
Ainara

"Me sentí como un idiota".
Julio

1. Cristina dice eso porque ....
....
....
....

2. Fernando ....
....
....
....
....

3. Ainara ....
....
....
....
....

4. Julio ....
....
....
....

2

¿Te has encontrado en alguna situación parecida a las anteriores: todo el mundo se te quedó mirando, te regalaron algo inesperado...? Resúmela en un par de líneas.

3

¿Quién ha vivido estas experiencias? Pregunta a tus compañeros y toma notas.

1. Se quedó un poco cortado.	2. No sabía dónde meterse.
3. Se quería morir.	**4. Pasó mucha vergüenza.**

4

Relaciona los elementos de las dos columnas de la manera más adecuada para formar combinaciones de palabras.

1. meter	**a.** el ridículo
2. hacer	**b.** de vergüenza
3. tomarse las cosas	**c.** la pata
4. reconocer	**d.** disculpas
5. pedir	**e.** los propios errores
6. morirse	**f.** con sentido del humor

5

Traduce a tu lengua las combinaciones de palabras de la actividad anterior.

1. ....
2. ....
3. ....
4. ....
5. ....
6. ....

6

Completa esta anécdota con información personal o inventada.

Un día estaba yo tranquilamente sentado/a en ....

y me sucedió una cosa .... Estaba ....

Entonces, aparece .... y .... Yo pensaba

que .... y le digo: "..". De pronto,

él/ella .... y me dice: "..". Pasé una

vergüenza horrible.

7

Comparte tu anécdota con tus compañeros y escoged entre todos la que más os gusta.

8

Anota otras expresiones del texto que te parecen útiles o que te interesan. Escribe un ejemplo con cada una para recordarlas mejor.

> Me encanta pasear
> <u>descalza</u> por la playa.

9

Relaciona cada enunciado de la izquierda con su interpretación de la derecha.

1. Cuando **llegábamos** al aeropuerto, se dio cuenta de que había olvidado su pasaporte.

2. Cuando **llegamos** al aeropuerto, se dio cuenta de que había olvidado su pasaporte.

    a. Ya en el aeropuerto.
    b. Mientras iba en el taxi.

3. Anoche no **pude** dormir por el calor.
4. Anoche no **podía** dormir por el calor.

    a. No durmió nada.
    b. No sabemos si finalmente durmió o no.

5. Ella **salía** cuando yo llegué.
6. Ella **salió** cuando yo llegué.

    a. Estaba poniéndose el abrigo.
    b. Abandonó la habitación.

10

¿Qué frase de cada pareja no es posible? Discútelo con un compañero y explicad por qué.

1.	2.	3.
a. Cuando el detective entró en la habitación, cerró la puerta.	**a.** Cuando el niño se dormía, pensó en su madre.	**a.** El otro día volví a mi casa y me paré a ver el nuevo museo.
b. Cuando el detective entraba en la habitación, cerró la puerta.	**b.** Cuando el niño se durmió, pensó en su madre.	**b.** El otro día volvía a mi casa y me paré a ver el nuevo museo.

11

Cuenta lo que le pasó anoche a Gustavo con las palabras del recuadro.
Solamente puedes usar los verbos en indefinido.

- **apagar la luz**
- **ponerse la bata**
- **encender la luz**
- **ver al gato del vecino**
- **acercarse a la puerta**
- **levantarse**
- **volver a su cuarto**
- **quitarse la bata**
- **tranquilizarse de inmediato**
- **decidir bajar a ver**
- **quedarse escuchando un momento**
- **sonreír**
- **asomar la cabeza**
- **oír un ruido extraño**
- **acostarse**
- **bajar las escaleras con cuidado**
- **salir al pasillo**

Gustavo oyó un ruido extraño

12

Añade a la historia las siguientes frases, como en el ejemplo.

	que venía de la planta baja.
	Tenía que reconocer que estaba un poco asustado.
	Parecía que el ruido venía de la cocina.
	No le gustaba ir en pijama por la casa
	que estaba debajo de la mesa lamiendo a tres gatitos recién nacidos.
	uno de los escalones estaba suelto y siempre tropezaba con él.
1	Cuando estaba a punto de quedarse dormido
	qué era.
	Seguro que no sería nada, pero como no conseguía volverse a dormir

Cuando estaba a punto de
quedarse dormido, Gustavo
oyó un ruido extraño...

13

En un papel haz algunos dibujos que representen algo que te ha ocurrido y, después, intercámbialo con el de tu compañero. Tenéis que haceros preguntas para reconstruir la historia del otro.

—¿Estabas haciendo un safari?
—Sí.
—¿Viste solo un león?
—No.
—Pues...

14

Escribe ahora tu versión de la historia de tu compañero.

15

Asocia cada frase con la ilustración correspondiente.

1. Ayer estuve en la playa toda la tarde.

2. Ayer estaba en la playa tomando el sol y...

a.

b.

3. Durante la excursión estaba nublado.

4. Durante la excursión estuvo nublado un rato.

a.

b.

5. El otro día volví a casa muy tarde.

6. El otro día volvía a casa muy tarde y...

a.

b.

16

Haz tú un dibujo para ilustrar las siguientes frases. ¿Se parecen a los que han hecho tus compañeros?

1. Sentado en la terraza del puerto, veía los barcos pasar...
2. Sentado en la terraza del puerto vi un gran barco pasar.

3. Estaba haciendo un castillo de arena...
4. Estuve haciendo un castillo de arena durante dos horas.

17

Inventa una continuación para las frases 1 y 3 de la actividad anterior.

1. ....
....
....
....
....
....

2. ....
....
....
....
....
....

18

¿Qué explicación puede tener la situación que vivió Alicia? Para formular cada explicación, elige un verbo del cuadro de la izquierda y otro del cuadro de la derecha.

> • estaría...
> • sería...
> • querría...
> • tendría...
> • le gustaría...
> • ...

> • habría ido...
> • habría venido...
> • se habría encontrado a...
> • le habrían dicho que...
> • ...

1. Llegué a casa y mi compañero de piso no estaba.

Se habría encontrado a un amigo y estarían tomando algo.

....

2. Su abrigo y su móvil estaban encima de la mesa.

....
....
....

3. En la cocina estaba sentada una mujer mayor.

....
....
....

4. La mujer estaba sacando los platos de los armarios.

....
....
....

5. Cuando entré, la mujer no me habló.

....
....
....

6. Mi compañero volvió con la cara muy roja.

....
....

19

¿Qué es lo que pasó en realidad? Inventa una historia que explique toda la situación anterior y cuéntala desde el punto de vista de Alicia. Después, compárala con la de otros compañeros.

Mi compañero de piso se había encontrado a un amigo y estaban tomando algo en un bar de la zona...

20

En grupos, cada uno escribe en un papel algo raro que le haya pasado y por qué sucedió. Los demás tienen que ofrecer posibles explicaciones, usando el condicional simple o compuesto. Solo se puede responder "caliente" o "frío", o dar una pista si nadie está cerca de adivinarlo.

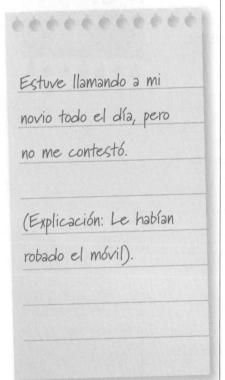

Estuve llamando a mi novio todo el día, pero no me contestó.

(Explicación: Le habían robado el móvil).

—No tendría batería en el móvil.
—Caliente.

21

Cuatro amigos comentan una fiesta en la que estuvieron el fin de semana. Completa lo que dicen.

1.

Clara: Pablo estuvo como enfadado toda la noche. No sé qué le pasaría...

Iñaki: Se habría peleado con su mujer, últimamente está estresado y discuten mucho.

David: Bueno, o ....

Ana: No, no. Es que había tenido que cancelar sus vacaciones por cuestión de trabajo. Estuve hablando con él y estaba disgustado.

2.

David: ¿Y no visteis a Carolina? Se pasó toda la fiesta entrando y saliendo de las habitaciones.

Clara: Pues no sé; querría ver cómo era la casa.

Ana: O a lo mejor ....

Iñaki: No, lo que pasaba es que .... sus gafas. Al final las encontró detrás del sofá.

3.

Ana: Carlos estaba raro también. Mientras estábamos viendo el partido, miraba cada poco rato por la ventana.

Iñaki: ¡Qué raro! ¿Estaría esperando a alguien?

David: Pues no sé, ...

Clara: No, es que ....

4.

Ana: Oye, ¿y a Zaida qué le pasaba? No sé quitó las gafas de sol en toda la noche.

David: Tendría resaca. El día anterior había tenido cena de trabajo.

Clara: ....

Iñaki: Qué va. Lo que pasa es que ....

22

Lee la historia que contó Íñigo en un foro de internet e inventa un final.

Pues a mí me pasó algo muy divertido el otro día. Eran la una o las dos de la madrugada. En mi casa se había acostado casi todo el mundo, excepto mi abuelo, que siempre se quedaba hasta tarde, y yo. De pronto llaman al timbre. Nos quedamos sorprendidos por la hora que era. Nos acercamos a la puerta y preguntamos: "¿Quién es?". "¡Policía!", contestan. Imaginad nuestra sorpresa.
Abrimos la puerta y vemos a mi vecino de arriba, Rafa, en pijama y con los pelos de punta, y a dos tíos grandísimos detrás. Rafa nos dice que ha visto a un hombre en nuestro patio y que por eso ha llamado a la policía. Los policías nos piden que nos apartemos, sacan las pistolas y van hacia el patio como en las películas: pegados a las paredes con los brazos así, extendidos, apuntando con la pistola. Nosotros ni nos asustamos, es tan ridículo todo que miramos la escena con cachondeo. Al llegar al patio, vemos un bulto oscuro, agachado. Los policías le gritan: "¡Policía! ¡Levántese inmediatamente!". Como no se mueve, se lo dicen otra vez. Al final, hay un momento de silencio. Uno de los policías se acerca y coge al tipo por una de las mangas... Resulta que "el tipo"...

....
....

66
¿Sería un animal que habría entrado a comer? **99**

23 🔊 **32**

Íñigo no tiene buena memoria y, un tiempo después, al contarle la historia a un amigo cambia algunas cosas. Compara la versión escrita con la del audio y anota las diferencias entre ambas.

02
EL CLIENTE SIEMPRE TIENE RAZÓN

Vuelve a ver el vídeo. ¿Cuáles de estas intervenciones aparecen?

Anécdota 1	Sí	No
1. ¡Adivina qué problema tenía!	☐	☐
2. Mire, señor, usted disculpará, pero...	☐	☐
3. Le vuelvo a repetir, el restaurante está cerrado....	☐	☐
4. ¡Pues vaya usted y hágame la paella!	☐	☐
5. Y va la tía y me cuelga.	☐	☐
6. Al final lo entendió, pero...	☐	☐
7. Que vengo a entregar una paella.	☐	☐

Anécdota 2	Sí	No
1. Nos fuimos unos días para desconectar.	☐	☐
2. Mira, yo desesperada, saltando por las camas.	☐	☐
3. Mira, la dejamos en el lavabo, nos vamos a dormir y listo.	☐	☐
4. Y claro, yo al principio decía: "¿Eso qué es?".	☐	☐
5. Y nada, total, que llamamos a recepción.	☐	☐
6. La sacamos sí o sí.	☐	☐
7. ¿Tú te crees qué falta de profesionalidad?	☐	☐

25

Lee la transcripción del vídeo y comprueba tus respuestas. Corrige después aquella información que no sea correcta.

Anécdota 1

1. ¡Adivina qué problema tenía! -> No era un problema, quería...

....
....
....
....
....
....
....
....
....
....
....

Anécdota 2

....
....
....
....
....
....
....
....
....
....
....
....

26

Lee de nuevo la transcripción de la primera anécdota.
¿Qué significan estas expresiones?

1. Parece que me entiende.

a. No se queda sorprendido.
b. Aparentemente le convence mi explicación.
c. Comprende mi forma de hablar.

2. Efectivamente

a. Inmediatamente.
b. Completamente.
c. Exactamente.

3. a regañadientes

a. Protestando.
b. Susurrando.
c. Disculpándose.

4. El que la sigue la consigue.

a. Hay que protestar.
b. Hay que ser creativo.
c. Hay que insistir.

5. ¡Qué le voy a hacer!

a. No tenía otra opción.
b. ¿Qué hago ahora?
c. ¿Tú lo harías?

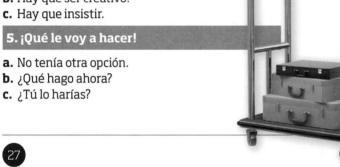

27

Busca en la transcripción estas expresiones y fíjate en las expresiones resaltadas. ¿Hay alguna expresión equivalente en tu lengua?

	En mi lengua
1. Y... y nada, todo perfecto, pero hubo una noche que estábamos a punto de irnos a dormir...	
2. Y claro, era la rana, obviamente, croando...	
3. Total, que llevamos durmiendo un rato y empiezo a oír...	

28

¿A qué momentos de una conversación corresponden estos enunciados? Puedes consultar el esquema de la página 100 del Libro del alumno.

a. Iniciar la anécdota
b. Contextualizar la anécdota
c. Presentar el nudo
d. Referir conversaciones
e. Reaccionar
f. Preguntar por el desenlace
g. Terminar y valorar la anécdota

☐ **1.** ¡No me digas!

☐ **2.** Por suerte no pasó nada.

☐ **3.** Fue un buen susto.

☐ **4.** Entonces va y me dice: "Dame todo lo que lleves".

☐ **5.** ¡Qué fuerte!

☐ **6.** Menos mal que llegaste.

☐ **7.** ¿Y tú qué hiciste?

☐ **8.** Y yo le digo: "Es una pistola".

☐ **9.** Al final fue un malentendido.

☐ **10.** Nos habíamos distraído y habíamos cogido otro tren.

☐ **11.** Pues hablando de aviones, a mí una vez...

☐ **12.** Y entonces se acerca a mí y se sienta a mi lado.

29

En parejas escribid una anécdota en la que aparezcan al menos seis expresiones parecidas a las de la actividad anterior.

30

¿Con qué expresión de la columna de la derecha relacionarías las expresiones de la columna de la izquierda? ¿Por qué? Coméntalo con tu compañero.

1. ¡Qué miedo!	**a.** ¡Vaya morro!
2. ¡Qué extraño!	**b.** ¡Qué raro!
3. ¡Qué aprovechado!	**c.** ¡Qué horror!
4. ¡Gracias a Dios!	**d.** ¡Qué fuerte!
5. ¡Impresionante!	**e.** ¡Menos mal!
6. ¡Qué divertido!	**f.** ¡Vaya susto!
7. ¡Qué feo!	**g.** ¡Qué gracia!

31

Reacciona en los siguientes diálogos utilizando expresiones de la actividad anterior. Después continúa la frase con sentido.

1.

A: ¡He dejado mi café aquí y ha desaparecido!

B: ....

2.

A: ¡Me encanta tu anillo, hermanita! ¿Por qué no me lo regalas?

B: ....

3.

A: Por fortuna, dejó de llover, porque el agua nos llegaba a las rodillas.

B: ....

4.

A: Entro en casa y se había ido la luz. Imagina: estaba todo oscuro y, de pronto, una mano me toca la espalda...

B: ....

32

Señala cuál de las tres reacciones no es adecuada en cada situación.

1.

A: – Yo, una vez, me tiré a la piscina y, cuando salgo, veo que se me había caído el bañador.

B:

☐ **1.** – ¡Qué fuerte!

☐ **2.** – ¡Qué vergüenza!

☐ **3.** – ¡Qué miedo!

2.

A: – Pues yo casi me como una mosca. Fui a darle un mordisco a un bocadillo y cerré la boca cuando pasaba una mosca de esas grandes.

B:

☐ **1.** – ¡Qué lío!

☐ **2.** – ¡Qué asco!

☐ **3.** – ¡Qué horror!

3.

A: – Pues hace poco, en una fiesta en una terraza se me cayó el vaso a la calle y justo pasaba una pareja. No les dio de milagro.

B:

☐ **1.** – ¡Qué suerte!

☐ **2.** – ¡Qué gracioso!

☐ **3.** – ¡Pues menos mal!

33

Escribe el principio de tres anécdotas a las que se pueda reaccionar con estas expresiones.

1.

A: – ....
....
....
....
....

B: – ¡Qué susto!

2.

A: – ....
....
....
....
....

B: – ¡Qué dices!

3.

A: – ....
....
....
....
....

B: – ¡Qué vergüenza!

 34

Vuelve a escuchar la primera anécdota de la página 101 del Libro del alumno y completa la transcripción.

1. –En la habitación, claro.
2. –Ajá...
3. –Que no tiene cama...
4. –No me extraña.
5. –Venga ya.

–Pues hablando de hoteles, a mí me pasó una cosa increíble una vez. Llegamos a un sitio de la Costa Brava y llegábamos muy cansadas, con una amiga, porque habíamos hecho un viaje muy largo, en coche...

–[ ]

–Y nada, llegamos al hotel, nos dan las llaves, subimos a la habitación, abrimos la puerta... y no había camas.

–[ ]

–Te juro, no había camas.

–¿Cómo que no había camas en la habitación?

–Estaban las mesillas, estaban las mesillas de noche, y en el lugar de la cama, no había nada. Estábamos cansadísimas.

–Ya...

–Entonces, yo llamo a la recepción y digo: "Oiga, que en la habitación tal, no sé, en la habitación 203...".

–[ ]

–Que no tiene cama. Entonces, el tío de la recepción, claro, es que ni me entendía. Al final le convenzo, que no hay cama, que no hay cama, que por favor, que estamos muy cansadas... Y... nos ponemos a esperar.

–Porque él te decía que había camas.

–No, él no entendía nada. Pero ¿qué dice esta mujer? ¿Cómo que no hay cama en la habitación? Total, que me dijo pues que nada, "que ya lo solucionamos, señora". Y con mi amiga, nos ponemos en el sofá a esperar. Y pasa el rato, pasa tiempo, pasa tiempo, vuelvo a llamar a la recepción y me dicen: "Sí, sí, que ya... ya... lo vamos a solucionar". Y al cabo de una hora, aparecen dos empleados del hotel con una cama.

–Porque vosotras estabais esperando en la habitación...

–[ ]

–Vale.

–Pero estábamos ya a punto de dormir en el sofá, claro.

–[ ]

–¿A que es raro? Es raro...

–Sí, mucho.

 35

Relaciona la frase "¿Cómo que no había cama?" con una de las siguientes explicaciones.

a. Es una marca de sorpresa
b. Es una marca de enfado
c. Es una marca de duda

 36

Pon en común tu respuesta con un compañero.

37 🔊 **34**

Completa la anécdota con los verbos entre paréntesis en el tiempo adecuado. Después, vuelve a escucharla para comprobar tus respuestas.

– ¿Sabes lo que me (pasar) .... ayer en el turno de noche?

– No, dime.

– Pues, mira. (estar) .... en recepción y, bueno, justo (llamar) .... de la habitación 304 diciendo que hay un ruido en la habitación, que no saben qué (ser) ...., que no (ser) .... normal... Y bueno, pues nada, yo (subir) .... a la habitación y al principio pienso que...

– Pero ¿quién (ser) ....? ¿Una pareja?

– Sí, sí. Una pareja. La señora, además, (estar) .... muy nerviosa. Y bueno, después de mirar un rato, me (dar) .... cuenta de que realmente sí que hay un ruido y que el ruido (venir) .... de la maleta.

– ¿Y qué tipo de ruido (ser) ....?

– Pues así como, como una vibración.

– El móvil, seguro.

– Pues no. ¿Sabes lo que (ser) ....?

– ¿Qué?

– El cepillo de dientes, que se lo (dejar) .... encendido.

– ¿En serio?

– Uno de estos eléctricos, sí, sí.

– ¿Y un cepillo de dientes vibra tanto?

– Este (parecer) .... que sí. ¿Y sabes qué es lo peor?

– Dime.

– Que los muy rácanos me (tener) .... allí media hora dando vueltas y no me (dar) .... ni una miserable propina.

38 👥

En parejas, preparad un diálogo en el que los clientes le cuentan la anécdota a unos amigos. Incluid todos los recursos para contar una anécdota que habéis aprendido. Después leedlo en clase.

—¿Sabes lo que nos pasó este verano en un hotel? —No, dime... 99

03
CAMPING LA CUCARACHA FELIZ

39

Mira durante 30 segundos la imagen de las páginas 102 y 103 del Libro del alumno. Después, cierra el libro. ¿Recuerdas qué problemas hay en el camping? Escríbelos.

40 🔊 **35-37**

Escucha de nuevo las conversaciones del camping y marca en cuál se producen las siguientes situaciones.

	1	2	3
1. Se piden disculpas.	☐	☐	☐
2. No se llega a una solución.	☐	☐	☐
3. Se reconoce que el otro tiene razón.	☐	☐	☐
4. Alguien se queja de que no es la primera vez.	☐	☐	☐
5. Alguien ofrece una compensación.	☐	☐	☐
6. Los interlocutores se acusan el uno al otro.	☐	☐	☐
7. Se amenaza con hablar con un encargado del camping.	☐	☐	☐

41

Lee la transcripción de cada conversación y señala en qué parte del diálogo están las respuestas a la actividad anterior.

42 🔊 **35-37**

Vuelve a escuchar las conversaciones y marca con cuáles de estas expresiones el tono puede resultar un poco más agresivo y en cuáles se suaviza.

	agresivo	suave
1. Creo que aquí hay un error.	☐	☐
2. Estaba perfectamente cuando se lo llevó.	☐	☐
3. Es que ya no podemos más, ¿eh?	☐	☐
4. No puede ser de ninguna manera.	☐	☐
5. Ya me parecía a mí.	☐	☐
6. Hombre, me lo vendió usted misma.	☐	☐

Escucha las siguientes frases de los diálogos del camping. Fíjate en la entonación y repite la frase para que se parezca a la del original.

1. Perdone, disculpe. Creo que aquí hay un error.
2. Me parece que es mucho para lo que hemos tomado, ¿eh?
3. Sí, es que estamos un poco liados hoy y me han dado otra cuenta. Lo siento.
4. Bueno, ya me parecía a mí que no podía ser.
5. Mire, el otro día me llevé esto y mire cómo está. No sé...
6. No, oiga, no, no. Le aseguro que... que no lo he tocado.
7. Hombre, me lo vendió usted misma. Y me lo dio sin caja, tal cual.
8. Sí. Yo no aguanto más. ¡Qué vergüenza!
9. ¿Vas vos o voy yo?
10. Pues, mira, no sé. Ve tú si quieres.

En parejas, elegid una de las conversaciones del camping y leed la transcripción intentando ser naturales.

45

Completa el siguiente cuadro con los verbos en el tiempo adecuado y haciendo las modificaciones necesarias.

Además de los verbos, ¿qué otros elementos cambian cuando contamos lo que ha dicho alguien? Márcalos.

	Referimos la conversación al cabo de un rato, o el mismo día, cuando las circunstancias no han cambiado.	Referimos la conversación al día siguiente. No sabemos si las circunstancias han cambiado.
	El cliente **dice / ha dicho**...	El cliente **dijo**...
1. "Despiértenme a las 8".	que .... a las 8.	que .... a las 8.
2. "No hay wifi en la 506".	que no .... wifi en la 506.	que no .... wifi en la 506.
3. "Hace un momento había una serpiente en mi cabaña".	que hace un momento .... una serpiente en su cabaña.	que hacía un momento .... una serpiente en su cabaña.
4. "Nosotros no hemos roto el mando de la tele".	que ellos no .... el mando de la tele.	que ellos no .... el mando de la tele.
5. "Dejé mi caravana bien aparcada".	que (él) .... / .... su caravana bien aparcada.	que (él) .... / .... su caravana bien aparcada.
6. "Nunca habíamos visto un camping igual".	que nunca .... un camping igual.	que nunca .... un camping igual.
7. "Nunca vamos a volver a este camping".	que nunca .... / .... a este camping.	que nunca .... / .... a este camping.

47

¿Cuál es la conversación original de cada uno de los enunciados?

1. Me preguntó que si no había wifi.

a. "Perdone, ¿no hay wifi en mi habitación?".
b. "Perdone, pero no hay wifi en mi habitación".

2. Me dijo que se quedaba un rato más.

a. "¿Vas a quedarte un poco más?".
b. "Voy a quedarme un poco más".

3. Le dije que nos veríamos al día siguiente.

a. "Te veo mañana".
b. "Te vi ayer".

4. Le dije que no iba a llamar a la policía.

a. "No tienes que llamar a la policía".
b. "No, no llamaré a la policía".

5. Me dijo que él pagaría el café.

a. "Por favor, paga tú. No tengo bastante para el café".
b. "No te preocupes. Yo la invito al café".

48

Escribe aquí las intervenciones que no has marcado y transmítelas como en la actividad anterior.

1. ....
....
....

2. ....
....
....

3. ....
....
....

4. ....
....
....

5. ....
....
....

49

¿A qué situación se refiere cada queja? ¿De qué situación crees que se trata en cada caso?

Situación 1: ....

Situación 2: ....

	1	2
1. No me pareció bien que no nos dejaran tiempo libre para ir solos.	☐	☐
2. No estaba de acuerdo con que dejaran tan poco tiempo para contestar.	☐	☐
3. Me pareció mal que no pudiéramos salir cuando lo necesitábamos o que no pudiéramos comer allí o llevarnos un café.	☐	☐
4. Nos quejamos de que no hubiera aire acondicionado en el autobús.	☐	☐
5. No nos pareció bien que tardaran tanto en dar los resultados.	☐	☐
6. Nos pareció fatal que la cena fuera tan temprano.	☐	☐
7. Nos quejamos de que los hoteles estuvieran tan lejos del centro.	☐	☐
8. No estaba de acuerdo con que restaran las respuestas incorrectas.	☐	☐

50

Compara tus respuestas con las de tu compañero.

51

Escribe tres cosas de las que te quejas o con las que no estás de acuerdo en tu casa, en tu trabajo o estudios y en algún otro lugar al que sueles ir (un gimnasio, una biblioteca, etc.).

1.	2.	3.
Me parece fatal que haya vecinos que no van a las reuniones.		

52

Después, pregúntales a algunos compañeros o al profesor y anota sus respuestas. ¿De qué se quejan?

Nombre	casa	estudios / trabajo	en otro lugar

53

Imagina que dentro de una semana le cuentas a un amigo de qué se quejaban tus compañeros de clase. Escríbelo.

William se quejaba de que las reuniones del trabajo duraran demasiado.

ARCHIVO DE LÉXICO

54

Añade otras posibilidades a cada serie y escribe un ejemplo para una de ellas con información sobre ti o sobre alguien de tu entorno.

pasar > miedo > frío

> ....

Ayer pasé mucho frío en el trabajo.

pasarlo > mal > regular

> ....

pasar > la noche > dos horas

> ....

pasarle (a alguien) > un número de teléfono > su bolso

> ....

pasar > de estudiar > de los videojuegos

> ....

pasársele (a alguien) > la gripe > el mal humor

> ....

pasar por > el supermercado > Londres

> ....

55

Busca una alternativa al verbo **pasar** en los siguientes ejemplos. Modifica los elementos necesarios de la frase.

1. Este año Julián **lo ha pasado mal**. Ha tenido problemas en el trabajo.

....

2. Tengo que **pasar por** mi casa a recoger el cargador del móvil.

....

3. Si **pasas por** Madrid, ven a vernos. Puedes quedarte en nuestra casa.

....

4. María **pasa de** leer. Dice que se aburre.

....

5. ¿Puedes **pasarme** la sal?

....

6. ¿Cómo estás? ¿**Se te ha pasado** el dolor de cabeza?

....

7. De pequeños solíamos **pasar** los veranos en el pueblo de mi madre.

....

8. Debe de **haber pasado** algo. No es normal que no haya venido nadie.

....

56

Completa las siguientes combinaciones de palabras. En algunos casos puede haber más de una respuesta.

Reservar una ▷ ....

.... ▷ la cuenta

Cama de ▷ ....

.... ▷ una reserva

Tener ▷ .... ▷ completa o ▷ ....

Tener el desayuno ▷ ....

57

Piensa en algunas de las siguientes situaciones y cuéntales a dos compañeros qué pasó. Ellosdeberán decir qué tipo de situación les parece. ¿Coincidís?

- **una situación curiosa**
- **una situación alucinante**
- **una situación tensa**
- **una situación absurda**
- **una situación desagradable**
- **una situación graciosa**
- **una situación ridícula**

—El otro día, cuando llegué al trabajo, me di cuenta de que me había puesto el vestido al revés.
—Eso es una situación graciosa.
—Bueno, o ridícula...

58

¿Te ha pasado algo parecido a las situaciones anteriores? Escríbelo en dos o tres líneas para comentarlo en clase.

ESCRITURA

59

El alojamiento al que has ido de vacaciones no coincide con lo que decía la publicidad que viste. Escribe una reclamación al dueño o a la empresa responsable.

Tienes que:
- saludar;
- explicar el problema;
- referirte a lo que decía la publicidad;
- referirte a lo que te has encontrado;
- expresar tu estado de ánimo, cómo te sientes al respecto, etc.;
- exigir una compensación o un cambio.

Para:
Asunto:

60

Cuenta en un foro algo curioso que te haya pasado en un viaje, en un hotel o en algún otro alojamiento. Toma como modelo el texto de la página 101 del Libro del alumno.

Una vez, en un hotel...

JÓVENES Y NO TAN JÓVENES

01
LA EDAD DEL PAVO

1

Antes de leer el texto de la página 110 "La edad del pavo", haz una lista con ocho palabras o expresiones que crees que pueden aparecer en él. Lee después el texto. ¿Aparecen las palabras de tu lista?

2

Lee de nuevo el texto de la página 110 y resúmelo en cinco frases con tus palabras, formulando las ideas principales.

....
....
....
....
....
....
....

3

Compara tu resumen con el de un compañero y modifícalo si lo crees necesario.

4

Completa las frases con las expresiones del recuadro.

- **cambios físicos y emocionales**
- **relación de dependencia con**
- **la rebeldía**
- **autoafirmarse**
- **acusan**
- **ser aprobados por**
- **encerrarse**
- **no hacer caso a**

1. Dos comportamientos característicos de la adolescencia son .... en la propia habitación y .... a los horarios.
2. La adolescencia es un momento de ....
3. Los adolescentes tienen la necesidad de .... los demás.
4. Los adolescentes se oponen a lo que dicen los adultos para ....
5. Los adolescentes .... a los adultos de falta de comprensión.
6. En la adolescencia se deja de lado .... los adultos.
7. .... es una de las actitudes características de la adolescencia.

5

Traduce a tu lengua estas expresiones que aparecen en el texto para hablar de actitudes de los adolescentes.

	En mi lengua
1. relación de dependencia	
2. oponerse a lo que dicen los adultos	
3. agradar a la familia	
4. contestar de mala manera	

6

Completa este fragmento con las siguientes expresiones. Después, comprueba tus respuestas con el texto de la página 112 del Libro del alumno.

- a mí me preocupa más
- lo que has dicho tú del desnivel
- ¿No creéis que es una cosa que ya tendría que estar... como muy pasado?
- los ricos cada vez más ricos, ¿no?
- que también, obviamente...
- lo que más me preocupa
- Y un desnivel muy grande.

¿Qué cosas de la sociedad no os gustan?
¿Qué cosas os preocupan?

–Puede sonar un poco egoísta, pero .... ahora mismo es que, por ejemplo, dentro de unos años no pueda ir a esquiar por culpa del cambio climático.

–Sí, bueno, ... que hace 30 años había mucha pobreza y... y esto no..., no mejoró, sino empeoró. Ahora hay más pobres y... que son más pobres.

–Y ....

–Sí, sí. Hay un quiebre social...

–... ....

–Sí.

–A mí me preocupa mucho esto, pero también la violencia de género. .... Y todavía está muy presente cada día en las noticias.

–Sí, sí...

–Creo que la violencia, en general...

–Sí, sí, pero... tendría que ser más... tendría que estar erradicada.

–Sobre todo ...., yo creo que también tiene un poco que ver, porque hay mucha más pobreza, entonces también a lo mejor hay más violencia.

–Sí, creo que la violencia en general hay que erradicarla, no solo la de género, ..., la... en general.

7

Comenta con dos compañeros qué cosas de la sociedad actual no te gustan o te preocupan, como han hecho Guillermo, Matías y María. Utilizad los mecanismos de cohesión para las interacciones orales y grabaos en audio o en vídeo.

8

Ahora escucha vuestra grabación o ve vuestro vídeo. ¿Utilizáis algunos de los recursos de la tabla? Márcalos.

1. Referirse a lo dicho por el interlocutor. ☐
2. Plantear una opinión pidiendo confirmación. ☐
3. Matizar la opinión del otro. ☐
4. Completar la frase del interlocutor. ☐
5. Repetir y formular lo dicho por el otro. ☐

9

Vuelve a escuchar la grabación y anota las expresiones que utilizáis para cada recurso de la actividad anterior. Compara tus notas con las de tus compañeros.

10

Escoge la opción correcta en cada caso.

1. Francisco solo tiene tiempo de ver a su hija los fines de semana. No debería **cambiar** / **haber cambiado** de trabajo, pasa demasiado tiempo en la nueva empresa.

2. Después de las vacaciones de verano, espero **haber reformado** / **reformar** mi piso, tendré los meses de julio y agosto completos para hacerlo.

3. Esperamos **subir** / **haber subido** a la Torre Eiffel cuando vayamos a París.

4. Ramón quiere **haber estudiado** / **estudiar** francés para entenderse mejor con sus suegros, ellos no hablan nada de español.

5. Marisa desearía **haber aprendido** / **aprender** informática, ahora tendría un empleo mejor.

6. Nos gustaría **haber comprado** / **comprar** el primer piso que nos enseñaron, nos decidimos por el segundo y ahora no nos gusta.

 11

Completa las frases con la expresión adecuada.

> • como si no existiera
> • como si el mundo se acabara mañana
> • como si fuera un delincuente
> • como si no la vieras
> • como si no lo supiera
> • como si yo no tuviera ni idea

1. Marta y Miguel tratan muy mal a su hermana, no le hacen caso, la tratan ....

2. Aunque Ricardo sabe que su exnovio ya tiene nueva pareja, está disimulando y hace ....

3. Se piensa que yo soy tonto y me lo tiene que explicar todo al detalle, como .... de informática. ¡Pero si sé más que él!

4. Los padres de Mario lo tratan ....; no le dejarán salir de casa en todo el verano. Total, porque copió en el examen final de Mates.

5. Han ido al súper y han cargado el coche de comida ....

6. Mira, por ahí viene Encarna, haz ...., no quiero hablar con ella.

 12

Estas personas expresan sus deseos. Complétalos con la forma verbal correspondiente.

> • ser
> • organizar
> • regresar
> • matricularse
> • obtener

1.

Luisa, estudiante de Derecho: "Me gustaría .... la mejor nota de mi promoción. Así sería más fácil encontrar un buen puesto de trabajo".

2.

Alfonso, jubilado: "Mi sueño sería que mis hijos .... de Noruega, tengo muchas ganas de poder estar más tiempo con ellos y con mis nietos".

3.

Rebeca, estudiante de Secundaria: "Me encantaría que mis padres me .... una fiesta de quinceañera espectacular, como la que prepararon a mi hermana mayor".

4.

Marta, traductora: "Me encantaría .... en un máster universitario, creo que tengo que ponerme al día".

5.

Elisa, cantante: "Mi sueño sería que mi último disco .... número uno en todo el mundo".

13

¿Cuáles son tus deseos para dentro de cinco años?

....
....
....
....
....
....
....
....
....
....
....
....

14

Compara tus deseos con los de dos compañeros. ¿Son parecidos? ¿Qué pensáis hacer para que se cumplan?

15

Completa las siguientes frases con los verbos del recuadro en el tiempo adecuado.

- venir
- ser
- hacer
- estar
- poder (dos veces)
- tener

1.

Cuando iba a la escuela primaria, me molestaba que algunos profesores .... muy estrictos conmigo.

2.

Como me quedaba a comer en la escuela, me gustaba .... jugar con mis compañeros después del almuerzo y antes de las clases de la tarde.

3.

Durante las vacaciones, odiaba .... que hacer los deberes de verano, que tenía que entregar en septiembre.

4.

Durante las vacaciones, me encantaba que mis padres no .... en casa y .... ver la tele todas las mañanas.

5.

Cuando era pequeño, odiaba que me .... cantar o recitar un poema durante las reuniones familiares.

6.

Los fines de semana me encantaba que mis primos .... a casa a visitarnos, así podía jugar con ellos todo el día.

16

¿Qué te gustaba de pequeño? ¿Qué odiabas? Continúa estas frases siguiendo el modelo de la actividad anterior y escribe otras dos. Compártelo después con un compañero.

1. Cuando iba a la escuela, ...
....
....

2. Durante las vacaciones, ...
....
....

3. En las reuniones familiares, ...
....
....

4. Los fines de semana ....
....
....

5. ....
....
....

6. ....
....
....

17 **48**

En este programa de radio algunos padres consultan a una experta sobre varios temas relacionados con la educación de sus hijos adolescentes. ¿De qué temas hablan?

☐ **1.** Problemas de comunicación entre padres e hijos adolescentes.

☐ **2.** La mayor cantidad de peligros que existen en la actualidad (internet, redes sociales...) y la dificultad de ser padre hoy en día.

☐ **3.** La necesidad de los padres de controlar en todo momento a sus hijos.

☐ **4.** Las diferencias de comportamiento entre chicos y chicas.

☐ **5.** La efectividad del castigo.

☐ **6.** Diferentes técnicas de aprendizaje para utilizar con los hijos.

☐ **7.** La conveniencia (o inconveniencia) de dar una paga semanal a los hijos.

18 **48**

Vuelve a escuchar el audio y anota en tu cuaderno las recomendaciones de la experta sobre los temas tratados.

19

¿Qué opinas de los consejos y las recomendaciones de la experta? ¿Estás de acuerdo con ella? Habla con un compañero.

20

Aquí tienes la transcripción de dos de las conversaciones de la página 113 del Libro del alumno. ¿Cómo dirías en tu lengua las expresiones destacadas? Anótalo en tu cuaderno.

1.

Padre: Mi espectáculo favorito. Nora, Pablo.
Chico: Bah, eres muy pesado.
Chica: **Jolín**, papá…
Padre: **Hombre**, pero si es que siempre es igual, siempre estáis haciendo lo mismo.
Chico: **¡Si llevo diez minutos!**
Chica: Pero…
Padre: **Enganchados al jueguecito** y al teléfono. No podéis vivir…
Chica: Estoy hablando con María.
Chico: No nos entiende. No nos entiende…
Padre: **Es importantísimo, seguro, lo sé, pero** ¿puedes dedicarte a otras cosas, como, por ejemplo, recoger un poco?
Chico: **Sí, que ya voy, ya voy**… te estoy escuchando.
Chica: Yo he recogido. Tengo la habitación recogida y he hecho los deberes.
Padre: Perfecto.
Chico: La mía también. He hecho la cama esta mañana.
Padre: La habitación está recogidísima, **lo sé**. Pero y el comedor, ¿cómo está?
Chico: Bueno…
Chica: Bueno…
Chico: Ahora lo recojo.
Padre: **No hemos terminado**…

2.

Padre: Pablo…
Chico: ¿Sí? ¿Sí?
Padre: ¿Has hecho los deberes?
Chico: No, no, no, pero mañana los haré. **Si es sábado**…
Padre: Bueno, pero si los haces hoy, mañana no tendrás que hacer nada, que es domingo.
Chico: Uy, buf, no, no, pero estoy cansado. Ya lo haré mañana.
Padre: Y además estos libros, es que yo no te veo abrirlos jamás.
Chico: Sí, si hago todos los deberes. Hoy no porque…
Padre: Pero, mira, hay textos también. Yo no te veo leerlos jamás. Sí que haces ejercicios, pero…
Chico: Ay, eres muy pesado.
Padre: **Vale, soy muy pesado, pero** luego quien no aprueba eres tú, no yo.
Chico: No, no. Mañana me pongo a hacer los deberes, **de verdad**.
Padre: ¿De verdad?
Chico: De verdad.
Padre: **Confío en ti**.

21

En parejas, escoged una de las cuatro conversaciones de la actividad C de la página 113 del Libro del alumno y representadla. Intentad reflejar la actitud de cada personaje.

 22

Fíjate en las siguientes frases. ¿Qué actitud crees que revelan? Ironía, empatía, protesta, etc. Habla con tu compañero.

1. Mi espectáculo favorito.	**2. ¡Si llevo diez minutos!**
3. Es importantísimo, lo sé.	**4. Si es sábado…**
5. Ay, eres muy pesado.	**6. Confío en ti.**

02
TREINTAÑEROS DE LATINOAMÉRICA

 23

Lee de nuevo los testimonios de las páginas 114 y 115 del Libro del alumno y marca a quién se refieren las siguientes frases. Localiza las respuestas en los textos.

	Enriqueta	Manuel	Marcelo	Rosalía
1. Su vida cambió cuando se quedó huérfano/a y tuvo que cuidar a sus hermanos.	☐	☐	☐	☐
2. Ya no es tan idealista como cuando era joven.	☐	☐	☐	☐
3. Se siente satisfecho/a de lo que ha conseguido en el ámbito profesional.	☐	☐	☐	☐
4. Lamenta no haber podido elegir otro tipo de trabajo.	☐	☐	☐	☐
5. Ha mejorado su tipo de alimentación y se preocupa más por su salud que antes.	☐	☐	☐	☐

 24

Traduce a tu lengua las expresiones destacadas en estas frases de los testimonios de las páginas 114 y 115 del Libro del alumno.

1. Por otra parte, sin embargo, también me siento mejor conmigo misma, **con mi cuerpo y mi salud.**

....

2. Ahora, con 34 años, no me siento ni joven ni mayor, **soy simplemente una persona más madura, más asentada.**

....

3. De joven tenía pensado dejar mi ciudad natal y hacerme marinero, viajar por el mundo, pero mis padres murieron y tuve que hacerme cargo **de la familia.**

....

4. De mentalidad me siento un poco mayor, **un poco más sabio.**

....

5. Me gustaría poder retirarme a los 60, pero lo veo muy difícil.

....

6. Dentro de 10 años me veo a mí mismo viviendo **fuera de la ciudad.**

....

7. Y cuando viajé sola por primera vez a Europa. Aprendí a valerme por mí misma.

 25

Compara tu traducción con la de un compañero que tenga la misma lengua materna que tú. ¿Hay muchas diferencias entre las dos?

26

Irene, una chica de 34 años, ha respondido al siguiente cuestionario. Relaciona cada respuesta con la pregunta adecuada.

1. ¿Qué trabajo pensabas que tendrías a los 30 años?

2. ¿Cuándo y cómo decidiste ejercer tu trabajo actual?

3. ¿Dónde pensabas que vivirías a los 30?

4. ¿Cuál es tu mejor recuerdo?

5. ¿Cuál es tu mayor logro?

6. Hace 10 años, ¿cómo te imaginabas que sería tu vida actual?

7. A día de hoy, ¿qué se ha cumplido y en qué es diferente tu vida respecto a lo que te imaginabas?

8. ¿Has notado algún cambio desde que cumpliste los 30?

9. Y dentro de diez años, ¿cómo te imaginas?

10. ¿Cuáles son tus propósitos para el futuro?

☐ **Escritora de guías de viaje. Era lo que quería ser a los 20.**

☐ **Tener el mismo tiempo o más y el dinero para poder viajar.**

☐ **Pues... valoro más la relación con mi familia, pero no creo que sean los 30. Aparte de eso, antes era más abierta, con el tiempo me he vuelto más selectiva, no me interesa conocer a tanta gente como antes.**

☐ **No tenía ni idea.**

☐ **No me acuerdo exactamente, pero una de las cosas que tenía en mente era poder viajar mucho.**

☐ **Hoy es hoy y mañana es mañana. No imagino demasiado el futuro ni pienso en qué habré hecho o habré dejado de hacer. Por ahora, prefiero quedarme como estoy. No tengo ninguna idea de mí en el futuro, me parece más realista pensar así.**

☐ **Cuando me saqué el carné de conducir a los 26 años, me di cuenta de que enseñar era muy bonito, fuera lo que fuera.**

☐ **Haber vivido en el extranjero, más que mi mejor recuerdo, es mi mejor experiencia.**

☐ **Ser independiente desde los 20 años.**

☐ **He cambiado mi carrera profesional y ahora me dedico a lo que me gusta: enseñar. Respecto a lo de viajar, no me puedo quejar, todos los años hago un viaje largo, aunque todavía me gustaría viajar más.**

 27

Busca entre tus conocidos a alguna persona que se encuentre en la década de los 30 y hazle una entrevista parecida a la de los "Treintañeros de Latinoamérica". Traduce sus respuestas al español y anótalas aquí.

1. ¿Notaste algunos cambios al cumplir los 30?

....

....

2. ¿Cuál es el hecho más importante de tu vida personal?

....

....

3. ¿Tus logros personales?

....

....

4. ¿Qué cosas de tu vida te gustaría cambiar?

....

....

5. ¿Cómo te ves dentro de diez años?

....

....

28

Leed las entrevistas en clase. ¿Las personas entrevistadas tienen características en común? ¿Cuáles?

Completa con la preposición que falta.

> • por • a
> • en • de
> • con

1. Fernando no confía .... sus empleados, y por eso el ambiente de trabajo se está haciendo insoportable.

2. El antiguo director no supo enfrentarse .... las dificultades y acabó renunciando al puesto.

3. El nuevo presidente ha afirmado que acabará .... las injusticias.

4. Cuando se independizó, mi hermana aprendió .... valerse .... sí misma.

5. Estamos orgullosos .... haber conseguido tantos premios con nuestro último producto.

6. A partir de ahora, nos proponemos colaborar .... la comunidad y conseguir mejores condiciones de vida.

7. Sus padres se han mudado a otra ciudad y el hijo mayor tendrá que hacerse cargo .... sus hermanos.

8. Lo que te ha pasado te va a ayudar .... entender por qué tu padre hizo lo que hizo.

Escucha de nuevo la conversación de la página 115 del Libro del alumno entre Inés y su amiga, y marca la opción correcta en cada caso.

1. Inés...

a. acaba de cumplir 34 años.
b. está a punto de cumplir 34 años.
c. aparenta más de 34 años.

2. Inés, antes de vivir sola,...

a. había vivido siempre en casa de sus padres.
b. había compartido piso con unas estudiantes.
c. había compartido piso con unas compañeras de trabajo.

3. Inés y su amiga...

a. tenían el mismo sueño: vivir solas.
b. empezaron juntas a trabajar a los 30.
c. empezaron su trabajo actual más o menos a la misma edad.

4. Para Inés, empezar a vivir sola...

a. fue muy duro.
b. fue muy satisfactorio.
c. fue muy diferente de lo que había imaginado.

Relaciona estos principios de frase con su final más lógico.

1. Si no me hubiera mudado a Bilbao después de acabar la carrera,

2. ¿Te habrías casado conmigo

3. Si mis amigos no me hubieran acompañado al concierto,

4. Si mis profesores no me lo hubieran aconsejado,

5. ¿Te habrías quedado en casa

6. Ahora mismo estaría llegando a Praga

a. habría ido solo igualmente.

b. si yo no te hubiera llamado?

c. si yo no te lo hubiera pedido?

d. si no me hubieran cancelado el vuelo.

e. no habría conocido a mi mujer, que en esa época vivía allí.

f. no habría estudiado Derecho.

32

Completa las oraciones y conjuga el verbo en condicional (simple o compuesto) o pluscuamperfecto de subjuntivo. A veces, hay más de una opción.

1. Si (ir, tú) .... a la fiesta, te lo (pasar, tú) .... muy bien, estaban todos tus amigos de la escuela.

2. Ahora (estar, nosotros) .... viendo la final de fútbol si no (estropearse) .... el televisor

3. Si no (hacer, tú) .... esa entrevista de trabajo, todavía (estar, tú) .... trabajando en la tienda de regalos.

4. Si me lo (decir, ellos) .... con más antelación, (poder, yo) .... cambiar mi cita con el médico.

5. Ahora (ser, tú) .... mucho más feliz si no te (mudarse, tú) ....

6. Si no (hacer, nosotros) .... aquel curso de español no os (conocer, yo) ....

33

¿Cómo sería tu vida si...

1. ... hubieras ido a otro colegio?

....
....
....
....

2. ... no hubieras conocido a tu mejor amigo o amiga?

....
....
....
....

3. ... hubieras nacido en otro país?

....
....
....
....

4. ... hubieras nacido del sexo opuesto?

....
....
....
....

34

Compara tus respuestas con las de dos compañeros. Prepara además otras dos preguntas similares y házselas.

“ Si hubiera nacido chica, mis padres me habrían puesto de nombre Carla, como mi abuela. Habría sido la única chica de la familia, porque solo tengo dos hermanos, Jack y Carl... **”**

35

Completa con información sobre ti. Después, comenta tus respuestas con un compañero.

1. Dos personajes históricos que te hubiera gustado conocer.

....

....

2. Dos acontecimientos históricos de los te habría gustado ser testigo.

....

....

3. Una época de la historia en la que te hubiera gustado vivir.

....

....

4. Tres obras de arte (pintura, escultura, música...) que te hubiera gustado crear.

....

....

5. Una película en la que te hubiera gustado participar.

....

....

6. Un concierto al que te hubiera gustado asistir.

....

....

36

¿Cuáles de estas cosas has hecho? Márcalas.

- [ ] **Estudiar en la universidad.**
- [ ] **Comprarte una casa.**
- [ ] **Conocer a tus bisabuelos.**
- [ ] **Aprender a tocar un instrumento.**
- [ ] **Conocer a una persona famosa.**
- [ ] **Casarte.**
- [ ] **Tener un hijo.**
- [ ] **Hacer un viaje de más dos semanas.**
- [ ] **Aprender a conducir.**
- [ ] **Mudarte al extranjero.**
- [ ] ....

37

Ahora explícale a tu compañero cómo sería o cómo habría sido tu vida si no hubieras hecho esas cosas.

Yo estudié Periodismo en la universidad. Si no hubiera estudiado, no habría conseguido trabajo de redactor y no habría podido viajar por toda Europa...

38

Relaciona cada situación con el reproche más lógico.

1. Parece que en la universidad no tienen todavía mi impreso de matriculación.

2. Creo que voy a tener un problema: en mi currículum puse que sabía inglés y ahora tengo que llamar a Londres.

3. Cada vez hay más invitados en la fiesta y se está acabando el hielo, ¿qué hacemos?

4. No sé cómo se nos ocurrió venir a la montaña de vacaciones. ¡Qué aburrimiento! Todo el día encerrados en el hotel.

5. ¿Cómo que no hay una mesa para dos? ¿Y ahora qué hago?

a. No tendrías que haber mentido, mira lo que te pasa ahora.

b. Debería haber llamado antes de venir; es lo habitual.

c. Podríamos haberlo previsto, aquí suele llover en esta época del año.

d. Tendrías que haberlo enviado por correo urgente, como te dije.

e. Habría que haber comprado más hielo antes de la fiesta; ahora tendremos que ir a comprarlo a una gasolinera.

39

¿Y a ti? ¿Te ha pasado alguna vez algo parecido? Cuéntaselo a tus compañeros y ellos te dirán qué deberías haber hecho.

 Una vez fui a un concierto de Natalia Lafourcade, pero cuando llegué ya no quedaban entradas.

 Tendrías que haber comprado las entradas con antelación...

40

Estas personas tomaron algunas decisiones difíciles en el pasado. ¿Qué crees que deberían haber hecho?

1. Cuando estaba en la universidad, Cristian se enamoró de la novia de Marcelo, su mejor amigo. Por eso decidió dejar de ver a Marcelo sin darle ninguna explicación.

Cristian tendría que haber

2. Cuando era joven, Paca, aunque quería ser cantante, tuvo miedo de no poder vivir de ello y decidió continuar trabajando en el negocio familiar. Ahora el negocio no va bien y además se siente frustrada.

Paca...

3. El novio de Patricia le pidió que se fuera a vivir con ella a Londres hace dos años. Ella dejó sus estudios de Medicina y se fue con él. Ahora se acaban de separar y ella no tiene trabajo.

41

Añade tú otra situación como las de la actividad anterior y después léesela a tu compañero. Él reacciona.

42

Si pudieras volver atrás en el tiempo, ¿qué cosas desearías no haber hecho? Coméntalo con un compañero. ¿Cuál es su opinión sobre el asunto?

 Desearía no haber dejado mis estudios de piano cuando cumplí 15 años; en esa época me parecía muy aburrido, pero ahora me arrepiento.

  A lo mejor tus padres tendrían que haber insistido en que no lo dejaras, ¿no?

03
SOY MAYOR... ¿Y QUÉ?

 43

Lee dos veces el texto introductorio "Soy mayor... ¿y qué?" de la página 118 del Libro del alumno y, después, cierra el libro. ¿Recuerdas qué palabras faltan?

> Durante toda la historia y en las diferentes culturas, la .... ha sido valorada de dos formas distintas: una positiva (las personas mayores son ...., transmiten ...., merecen un gran ....) y una negativa (las personas mayores, "viejas", están físicamente ...., socialmente ...., etc.). Muchos consideran que, actualmente, predomina una imagen negativa y .... de la gente mayor. Esta valoración afecta a sus derechos, su .... y su bienestar. Una manera de luchar contra estos .... son las campañas de ....

 44

¿Conoces otras campañas de concienciación contra los estereotipos de algún colectivo? Busca información en internet y preséntala a tus compañeros.

45

Vuelve a leer los textos de "Dicen que... En realidad..." y reformúlalos con tus propias palabras.

Dicen que...	En realidad...
... las personas mayores son un colectivo homogéneo.	
... las personas mayores son dependientes, siempre están enfermas, son viejas y frágiles.	
... las personas mayores son rígidas, inflexibles, incapaces de afrontar cambios, de adaptarse a las nuevas situaciones o de aprender cosas nuevas.	

46

Seguro que conoces a personas mayores que no responden a los estereotipos mencionados en los textos de las páginas 118 y 119. Piensa en alguno de ellos o busca información en internet y ponlo en común con tus compañeros.

"Mi abuela se jubiló hace cinco años. Como no pudo estudiar cuando era joven, se inscribió en la carrera de Historia del Arte y ahora va todos los días a la universidad. Además, cada semestre va con algunos de sus compañeros de clase, más jóvenes que ella, a visitar diferentes museos..."

47

Aquí tienes un ejemplo de una iniciativa intergeneracional. Lee el texto y responde a las preguntas con tus propias palabras.

Experiencia y juventud comparten piso

Candela tiene 22 años y es de Zaragoza, pero estudia en Madrid. Este año vive en Chamberí con una nueva compañera de piso, un tanto inusual: una señora de 88 años.

Ambas compañeras no se conocían antes, no tienen ningún vínculo que las haya unido previamente... ¿Cómo acaba, pues, una joven universitaria viviendo con una señora jubilada? Gracias al programa "Convive", de Solidarios por el Desarrollo, un proyecto que, tal y como pone en su web, "apuesta por una respuesta intergeneracional, comunitaria y solidaria", haciendo de intermediario entre personas mayores que vivan solas y jóvenes universitarios que busquen un alojamiento económico (los alquileres y gastos se ven sumamente reducidos) y accesible.

El proyecto busca construir "poco a poco una relación de confianza, de aprendizajes compartidos y apoyo mutuo, en una convivencia que solventa problemas de soledad en los más mayores y de alojamiento en los más jóvenes, al mismo tiempo que se construye una sociedad más pendiente de las necesidades y más integradora".

Vamos a visitarlas un lunes por la tarde. La compañera de Candela nos cuenta que se hizo enfermera, pero que nunca ejerció; que su hija vive en Madrid, y que aunque tiene mucho contacto con ella, no se ven cada día. Candela es la tercera chica que convive con ella desde otoño de 2014, cuando se inició el programa.

Por su parte, la estudiante universitaria conocía ya el programa porque es voluntaria de Solidarios. "Buscando piso y alternativas al alquiler, me encontré con el programa y me interesó porque tenía curiosidad por convivir con una persona mayor y también porque el ahorro económico es una ventaja". Los requisitos para realizar el programa son simples. Se necesita un sénior que viva solo y un estudiante de las universidades de la Comunidad de Madrid. Deben pasar un mínimo de dos horas al día juntos, "cocinando, viendo un ratito la tele, acompañándolo a los sitios...", dice Candela.

En la convivencia, cada uno se encarga de gestionar su espacio, como cualquier persona que comparta piso. De hecho, comen juntas, pero cada una se cocina lo suyo porque llevan dietas diferentes, y después de comer recogen juntas la cocina.

La preocupación en torno al papel de las personas mayores en la sociedad parece haber sido un pilar para que Candela se animase a realizar el programa. Se muestra crítica y escéptica. "Las personas mayores –dice– no reciben el trato que merecen. Desde mi punto de vista, hay como un estigma por parte de todos los grupos de edad hacia ellos". La señora, por su parte, se muestra más positiva: "Yo me encuentro muy amparada y muy acompañada; aunque estoy sola, no me encuentro sola".

Ambas coinciden en alabar la experiencia intergeneracional y recomiendan el programa a aquellos que estén pensando en inscribirse.

Adaptado de www.mymo.es/cuando-la-experiencia-y-la-juventud-comparten-piso/

1. ¿Cuál es el objetivo de una iniciativa de este tipo?

....

....

2. ¿Cuáles deben ser los requisitos para que dos personas compartan piso?

....

....

3. ¿Cuáles son las ventajas para esas personas?

....

....

4. ¿Qué inconvenientes puede tener esta iniciativa?

....

....

 48

¿Qué piensas de esta iniciativa? ¿Podrías participar en un proyecto intergeneracional de este tipo? Coméntalo con tus compañeros.

49

Busca información sobre algún proyecto intergeneracional que se lleve a cabo en tu entorno y preséntalo a tus compañeros.

50

Relaciona cada una de estas dificultades con la propuesta para solucionarlo. ¿Existen situaciones parecidas en tu ciudad o tu país?

1. Mucha gente se pone nerviosa cuando pasea por la ciudad porque tiene miedo de las bicis y de los patinetes.

2. Muchos adolescentes no son conscientes de los peligros que pueden tener las redes sociales.

3. Últimamente hay muchos conflictos entre algunos turistas y los residentes porque los primeros no respetan los horarios de descanso nocturno.

4. La imagen que algunos extranjeros tienen de España (turismo de sol, paella y sangría) no se corresponde con la realidad.

5. El acceso de los jóvenes a una primera vivienda es muy difícil debido a los altos precios de alquiler.

a. Estaría bien que las agencias publicitarias presentaran una imagen más realista del país en sus campañas de promoción turística.

b. Habría que regular la circulación de vehículos por las aceras.

c. Sería genial que el Gobierno otorgara ayudas a los jóvenes menores de 30 años que no pueden dejar la casa de sus padres.

d. Sería conveniente que las escuelas y los institutos concienciaran a los estudiantes sobre cómo usar bien internet.

e. Sería bueno llevar a cabo una campaña de concienciación acerca de la contaminación acústica.

51

Añade otra propuesta para solucionar cada problema de la actividad anterior.

1. ....

2. ....

3. ....

4. ....

5. ....

52

Pon en común tus propuestas con las de tus compañeros. ¿Cuáles te parecen especialmente interesantes?

53

Completa cada conversación con alguno de los siguientes verbos en la forma adecuada.

- **pasárselo bien (dos veces)**
- **tener**
- **aburrirse (dos veces)**
- **dormir**
- **estar**
- **sacar (dos veces)**
- **ser**

1.

– Últimamente no vienes mucho a jugar al fútbol con nosotros; ¿ya no ....?

  – No es que no ...., es que ya no .... tanto tiempo como antes.

2.

– Parece que .... bastante en clase de piano.

– No es que ...., lo que pasa es que últimamente .... poco y .... bastante cansado.

3.

– He oído que Lara ya no .... tan buenas notas como antes. Dicen que sale demasiado con sus amigos.

– No tienes razón: no solo no .... peores notas, sino que además .... la mejor de su clase.

54

Desmiente los siguientes reproches.

1. Parece que no estás muy interesado en aprender más vocabulario español.

No es que

2. Últimamente no te apetece salir con tus amigos.

3. Esta semana no has trabajado lo suficiente; no veo que te esfuerces demasiado.

4. ¿No te apetece más ensalada? ¿Es que no te ha gustado?

5. Eres un poco rencoroso, ¿no? ¿Todavía no me has perdonado por haber olvidado tu cumpleaños?

55

Esta es la definición de **estereotipo** del diccionario de la RAE. Entre todos, buscad más definiciones de este término en otros diccionarios en español o en vuestras respectivas lenguas (podéis traducirlas). ¿Coinciden con la definición de la RAE? ¿Cuáles os parecen más acertadas?

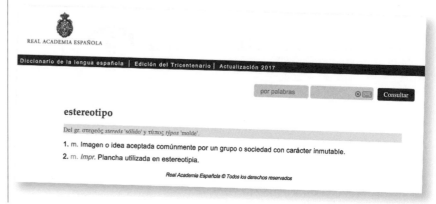

REAL ACADEMIA ESPAÑOLA

Diccionario de la lengua española | Edición del Tricentenario | Actualización 2017

por palabras   Consultar

estereotipo

Del gr. στερεός stereós 'sólido' y τύπος týpos 'molde'.

1. m. Imagen o idea aceptada comúnmente por un grupo o sociedad con carácter inmutable.
2. m. Impr. Plancha utilizada en estereotipia.

Real Academia Española © Todos los derechos reservados

56

¿Cómo cambian las personas de estas fotografías? ¿Qué te sugieren con los tatuajes tapados? ¿Y destapados? Coméntalo con tu compañero.

57

¿Cuál crees que es el objetivo de las fotografías de la actividad anterior?

....

....

....

....

58

Lee ahora este texto. Comprueba tus hipótesis y responde a las preguntas.

Las apariencias engañan

Óscar Quetglas es un reconocido fotógrafo y diseñador gráfico con sede en Mallorca (España), quien, en colaboración con el tatuador José Juan Real, de Laureato Tattoo Studio, crearon en 2017 un espectacular proyecto fotográfico con el que pretendían eliminar el prejuicio hacia la gente con tatuajes. Se trata de LAS APARIENCIAS ENGAÑAN, donde se mostraba a personas reales en dos fotos: una con su aspecto real en su trabajo o labor cotidiana, y otra con ropa de calle, traje de baño, o como quisiera, pero luciendo los tatuajes de su cuerpo. El objetivo era tratar de concienciar, de un modo gráfico, sobre el hecho de que llevar tatuajes no te hace menos profesional (mostrando gente tatuada –o muy tatuada– en profesiones de diversa índole), y desde luego tampoco peor persona.

El propio Óscar nos comenta: "Surgió así, sin más, en una de las muchas conversaciones que manteníamos durante las largas sesiones de tatuaje en mi espalda. Jota y yo estábamos hablando de lo mucho que se sorprende la gente al saber que yo tenía unos tatuajes tan grandes (llevo la espalda completa y actualmente estamos terminando los dos brazos, también completos), y de la cantidad de comentarios contradictorios que había recibido, tipo "no te pegan", "jamás lo habría imaginado", "no es tu estilo", etc. Eso, sumado al hecho de que en mi trabajo suelo ir con traje y corbata, hacía que esta serie de contradicciones se acentuasen más.

Así que pensamos: "¿Por qué no buscamos a gente de la calle, con tatuajes, y les hacemos dos fotos: ¿una con su ropa de trabajo, donde la mayoría se ven obligados a ocultar sus tatuajes, y otra con la ropa que quieran mostrando orgullosos sus tatuajes?".

LAS APARIENCIAS ENGAÑAN tuvo una gran aceptación en las redes, y al parecer tocó la fibra sensible de mucha gente, que en estos "tiempos modernos" aún considera este arte milenario como un tabú.

Adaptado de **www.furiamag.com** y **www.blog.cursosok.com**

1. ¿Qué estereotipos se mencionan en el texto?

....

2. ¿Cómo surgió la idea de la campaña?

....

3. ¿Cómo se recibió la iniciativa?

....

ARCHIVO
DE LÉXICO

 59

Relaciona cada cambio con su causa más lógica.

1. Paco se ha vuelto más precavido al usar las redes sociales.

2. Alejandro se ha hecho muy rico.

3. Rosa ha llegado a hablar inglés con mucha fluidez.

4. Marcelo se ha puesto muy rojo.

5. Rosario se ha quedado sin habla, no se lo esperaba.

6. Quique se ha vuelto muy extrovertido.

7. Carmen se ha quedado muy preocupada.

a. Se acaba de enterar de que quizás haya algunos despidos en su empresa.

b. Antes era muy reservado, pero participó en unos cursos de socialización que lo ayudaron a abrirse a los demás.

c. Un desconocido le robó sus fotos y se hizo pasar por él en Facebook.

d. Aunque al principio le costó, luego pasó medio año en Brighton y allí pudo practicar mucho.

e. Creó una aplicación para móvil y la vendió por mucho dinero.

f. Le han dicho que es el chico más guapo de la oficina.

g. Su jefa le ha dicho que le va a subir el sueldo.

 60

Clasifica estas palabras según los verbos con los que se combinan.
Algunas se pueden combinar con más de uno.

- huérfano
- famoso
- enfermo
- quieto
- mayor
- rojo
- sordo
- viudo
- loco
- celoso
- ministro
- insoportable
- guapo
- presidente
- cojo
- callado
- antipático
- vegano
- multimillonario
- contento
- preocupado
- mecánico
- más amable
- budista

ponerse	quedarse	hacerse	volverse	llegar a ser

61

¿Qué cambios han experimentado las personas de tu entorno? ¿Por qué? Escribe cuatro frases con construcciones de la actividad anterior.

1. ....
....

2. ....
....

3. ....
....

4. ....
....

62

¿Qué situaciones o hechos pueden provocar que...

1. ... te quedes de piedra?
....

2. ... te quedes asombrado?
....

3. ... te pongas nervioso?
....

4. ... te pongas rojo?
....

5. ... te pongas contento?
....

6. ... alguien se vuelva egoísta?
....

7. ... alguien se vuelva más tolerante?
....

8. ... alguien se haga famoso?
....

63

Completa las frases con los verbos del recuadro en la forma adecuada.

> • **decidirse (dos veces)**
> • **lamentar una decisión**
> • **estar indeciso**
> • **tomar una decisión equivocada**
> • **arrepentirse**

1. La verdad es que no sé qué hacer. ¿Me quedo en el trabajo o lo dejo? ...., necesito unos días más para ver qué hago.

2. Entre comprar la casa en el centro o el ático, mi hermano al final .... por lo segundo.

3. ....lo que te dije ayer, lo dije sin pensar: no eres un vago, lo que pasa es que yo estaba de mal humor. Lo siento.

4. Después de mucho pensarlo, ... a vender mi coche.

5. Mi amiga Laura.................................al cortar con su novio, ahora se siente aún peor.

6. La dirección del hotel.................................... de haber despedido al conserje. Se ha dado cuenta de lo bien que hacía su trabajo.

64

Elige una de las tres películas siguientes y busca información sobre ella en internet. ¿Qué edad tienen los protagonistas? ¿A qué situaciones deben enfrentarse? ¿Qué temas se tratan? Haz una breve presentación en clase. Luego, entre todos, comentad cuál de ellas os gustaría ver y por qué.

  65

¿Qué otras películas conoces que traten sobre la edad o los problemas entre generaciones? Coméntalo con tus compañeros.

< *María (y los demás)* (2016)

^ *Elsa &Fred* (2005)

< *A cambio de nada* (2015)

66

Aquí tienes a varias personas que según su edad pertenecen a distintas generaciones. Elige una de ellas y busca información en internet sobre los rasgos que la definen. Estos son algunos de los temas sobre los que puedes buscar información.

- rasgos generales
- acontecimientos históricos vividos
- películas
- libros

- canciones
- manera de vestir
- formas de comunicarse
- valores comunes

Generación Z
(1994-2010)

Millennials
(1981-1993)

Generación X
(1969-1980)

Boomers
(1949-1968)

Generación Silenciosa
(1930-1948)

 67

Pon en común con tus compañeros la información que has recopilado.

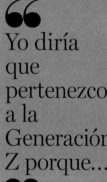

68

¿Y tú? ¿A qué generación perteneces? ¿Crees que te representa la información sobre esa generación? Coméntalo con tus compañeros.

66
Yo diría que pertenezco a la Generación Z porque...
99

ESCRITURA

69

Vuelve a leer el texto "La edad del pavo" de la página 110 del Libro del alumno. Es un texto expositivo sobre una etapa de la vida. Localiza en él las tres partes que componen un texto de este tipo.

1. Presentación del tema
2. Desarrollo
3. Conclusión

70

Elige otra etapa de la vida y busca información para describir sus características generales, los comportamientos típicos, etc. Escribe un texto expositivo en tu cuaderno sobre el tema, siguiendo el modelo de "La edad del pavo".

71

¿Qué título le darías a este poema de Gloria Fuertes?

....

Para ir a trabajar,
(tan vulgar como suena)
durante cuarenta años
se levantaba servidora
a la hora,
que ahora se acuesta.
Y era feliz.
El año cuarenta,
ganaba diez pesetas diarias
–no me llegaba ni para dormir–,
y era feliz.
Comía aceitunas, avellanas,
recortes de tocino
y algún huevo duro,
y era feliz.
Tenía un amor prohibido,
y era feliz.
Escribía libros prohibidos, y era feliz.
Ahora me acuesto a la hora
que antes me levantaba
y,
no sé si soy feliz.

El libro de Gloria Fuertes,
Gloria Fuertes

73

Imagina que a los 35 años esta escritora respondió a un cuestionario parecido al de "Treintañeros de Latinoamérica". Escribe sus respuestas en tu cuaderno.

1. ¿Cuál es el hecho más importante de tu vida personal?
2. ¿Tus logros personales?
3. ¿Notaste algún cambio al cumplir los 30?
4. ¿Qué cosas de tu vida te gustaría cambiar?
5. ¿Cómo te ves dentro de 10 años?

72

¿Qué quiere decir la autora con los últimos cuatro versos? Explícalo con tus palabras.

YO Y MIS CIRCUNSTANCIAS

01
SE BUSCAN VALIENTES

1

Vuelve a leer el texto "Se buscan valientes" y contesta a estas preguntas con tus propias palabras.

1. ¿Cómo ayudaban sus padres a El Langui cuando era pequeño?

....

....

....

....

2. ¿Cómo consiguió El Langui que se cambiara la normativa sobre el acceso con silla de ruedas a los autobuses?

....

....

....

....

....

3. ¿A quién va dirigida su campaña contra el acoso escolar?

....

....

....

....

....

2

Señala cuáles de estas frases resumen las ideas del texto "Se buscan valientes" y léelo de nuevo para comprobarlo. Corrige aquellas frases que no son correctas.

	V	F
1. Tuvo una lesión de pequeño que le obliga a ir en silla de ruedas.	☐	☐
2. Desde pequeño se tuvo que esforzar para no depender de nadie.	☐	☐
3. Entre los 20 y los 30 años ya era muy polifacético en el mundo de la cultura y la comunicación.	☐	☐
4. Lideró una protesta negándose a subir a un autobús en Madrid con su silla eléctrica.	☐	☐
5. Su canción contra el acoso escolar anima a la víctima a denunciar sin miedo.	☐	☐
6. Siempre ha agradecido el apoyo que tuvo de sus amigos para evitar que se metieran con él.	☐	☐

....

....

....

....

....

3

Escribe cinco palabras o combinaciones de palabras del texto que no conocías. ¿Cómo se dicen en tu idioma?

4

Fíjate en cómo se pueden cambiar los elementos de esta frase del texto sobre el Langui, manteniendo la estructura. Imagina y escribe tú la última línea.

Siempre ha agradecido que su madre no lo ayudara cuando tropezaba.

a. Siempre ha agradecido que su madre no lo ayudara cuando **subía escaleras**.
b. Siempre ha agradecido que su madre no lo **obligara a levantarse temprano los domingos**.
c. Siempre ha agradecido que su madre **lo apoyara en todo lo que hacía**.
d. Siempre ha agradecido que **a sus amigos del colegio les gustara la música como a él**.
e. Siempre **ha facilitado que le pidieran colaboraciones en campañas sociales**.
f. Siempre ....
....

 5

Completa las frases con palabras diferentes cada vez.

1. Logró que se modificara la normativa de los transportes de Madrid.

a. Logró que se modificara la normativa de los transportes de ...*la*...
...*ciudad*....
b. Logró que se modificara la normativa de ....
....
c. Logró que se modificara ....
d. Logró que se ....
e. Logró que ....

1. Sus compañeros no permitían que se burlaran de él ni lo discriminaran.

a. ....
b. ....
c. ....
d. ....

 6

Resume, con tus propias palabras, las ideas que se expresan en estas estrofas del rap "Se buscan valientes".

Se buscan valientes que ayuden y se enfrenten a Darth Vader

y a algún gamberro más que con abuso siempre van.

Achanta, bravucón, y presta atención a la lección.

Pasa ya la hoja, que te quedas atrás.

El respeto en esta página yo ya subrayé.

Que la mochila si no hay libros no te debe pesar.

Sé valiente y no permitas lo que viste ayer.

Hoy con valentía tiro yo para clase.

No es justo que a mi compañero esto le pase.

No confundas una broma con llegar al desfase.

 7

Elige uno o dos párrafos de la canción e intenta *rapearlos* como el Langui. Usa la base de la canción que puedes encontrar en www.sebuscanvalientes.com. Puedes grabarte con el móvil y compartirlo con tus compañeros de clase.

Traduce a tu lengua esta estrofa. Compara después tu traducción con la de un compañero. ¿Cambiarías algo de tu traducción?

	En mi lengua
Nuestra rima es combativa, no la vas a callar.	....
¿A que si me pongo delante ya no vas a empujar?	....
Ya no estás solo, compañero, no te va a pasar *ná*.	....
Mirada al frente, una sonrisa y cabeza *levantá*.	....

9

Busca en el texto "Se buscan valientes" palabras que puedan relacionarse con alguno de estos tres ámbitos.

Acosado

débil

....

....

....

Acosador

gamberro

....

....

....

Testigo

apoyar

....

....

....

10

¿Cuáles son las principales causas del *bullying*? Anótalas en tu cuaderno y compáralas con las de tu compañero.

Causas del *bullying*
Residen en los modelos educativos de los niños

En su artículo *Bullying: un miedo de muerte*, la psicóloga y periodista Henar L. Senovilla afirma que las causas que pueden hacer aparecer el acoso escolar son incalculables. En general, las causas o factores que provocan el acoso en los centros educativos suelen ser personales, familiares y escolares.

Desencadenantes personales

En lo personal, el acosador se siente superior, bien porque cuenta con el apoyo de otros, o porque el acosado tiene muy poca capacidad de responder a las agresiones. En la mayoría de las ocasiones, el acosador lo que quiere es ver que el acosado lo está pasando mal.

En el colegio

El *bullying* puede darse en cualquier tipo de colegio, público o privado, pero según algunos expertos, cuanto más grande es el centro escolar más riesgo existe de que haya acoso.

El tratamiento que se da a los alumnos es muy importante. La falta de respeto, la humillación, las amenazas o la exclusión entre el personal docente y los alumnos llevan a un clima de violencia y a situaciones de agresión. El colegio no debe limitarse a enseñar, sino que debe funcionar como generador de comportamientos sociales.

Causas familiares

En el terreno familiar, el origen de la violencia en los chavales puede estar en la ausencia de uno de los padres o en la presencia de un padre o de una madre violentos. Esa situación puede generar un comportamiento agresivo en los niños y llevarlos a la violencia en la adolescencia.

En resumen, las causas del *bullying* pueden residir en los modelos educativos que son un referente para los niños, en la ausencia de valores, de límites y de reglas de convivencia; en recibir castigos a través de la violencia o la intimidación, y en aprender a resolver los problemas y las dificultades con la violencia.

Cuando un niño está expuesto constantemente a esas situaciones, acaba por registrarlo automáticamente todo en su memoria, pasando a exteriorizarlo cuando lo vea oportuno. Para el niño que practica el *bullying*, la violencia es solo un instrumento de intimidación. Para él, su actuación es correcta y, por lo tanto, no se autocondena, lo que no quiere decir que no sufra por ello.

Guiainfantil.com

11

Unos turistas han dicho estas cosas sobre sus viajes. Relaciona cada frase con su continuación más lógica.

1. Quisimos volar con Aeroflight aunque
2. Vamos a volar con Aeroflight aunque

a. sea un poco más caro.
b. fuera un poco más caro.

3. El guía nos recomienda que
4. El guía nos aconsejó que

a. visitemos el Barrio Viejo por la tarde.
b. visitáramos el Barrio Viejo por la tarde.

5. Nos encanta que el hotel
6. Nos gustó mucho que el hotel

a. tuviera piscina cubierta.
b. tenga piscina cubierta.

7. Hoy nos han dejado el día libre para que
8. Nos dejaron un día entero libre para que

a. hiciéramos lo que quisiéramos.
b. hagamos lo que queramos.

9. No nos parecía normal que
10. No es normal que

a. haya tanta basura en la playa.
b. hubiera tanta basura en la playa.

12

Decide qué frases de la actividad anterior se dijeron después del viaje y cuáles se dijeron antes o durante el viaje.

Antes o durante el viaje: _2_
Después del viaje: _1_

13

Imagina un final para estas frases sobre el mismo viaje.

1. Es una pena que el vuelo de vuelta ....
....
....

2. Fue una pena que el vuelo de vuelta ....
....
....

3. Lo mejor es desayunar todos los días en el hotel, aunque ....
....
....

4. Fue buena idea desayunar todos los días en el hotel, aunque ....
....
....

14

Lee las siguientes frases del diario de Raúl, un chico de 15 años, y completa con los verbos en presente de subjuntivo.

1. El profesor de Historia dice siempre que, si no estudiamos, no tendremos un buen trabajo cuando (ser) .... mayores.

2. Mi madre llama a mis abuelos todos los viernes para que (venir) .... a comer el domingo a casa, pero casi nunca vienen.

3. Mis hermanos pequeños, los gemelos, quieren que mi madre los (llevar) .... a todas partes en coche.

4. A mis amigos no les gusta nada que sus padres (leer) .... sus mensajes del móvil.

5. Estoy seguro de que el año que viene, cuando (tener) .... 16 años, podré ir a algún festival de música en verano.

6. Tengo claro que no quiero ir a la universidad, aunque (sacar) .... muy buenas notas en el instituto.

7. Me parece un verdadero rollo que mis padres (hacer) .... siempre lo mismo todos los veranos: ir a la playa, y ya está.

15

Reescribe las frases de la actividad anterior en pasado, desde la perspectiva de Raúl 20 años después.

1. *El profesor de Historia decía siempre que si no estudiábamos, no tendríamos un buen trabajo.*

2.

3.

4.

5.

6.

7.

16

¿Qué o quién te ha condicionado más? Escoge dos de estos temas y escribe un párrafo sobre cada uno, explicando por qué y cómo te ha condicionado.

- Una persona, un libro o una película que ha marcado tu vida
- Una persona o un hecho que ha influido en tu desarrollo profesional o en tus estudios
- Un hecho o un suceso que te afectó positivamente en la infancia
- Un factor o un elemento que ha sido determinante para que estudies español

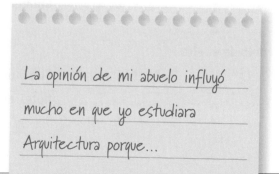

La opinión de mi abuelo influyó mucho en que yo estudiara Arquitectura porque...

17

Comparte tu texto con dos compañeros. ¿Cuál es el más interesante? Un portavoz se lo cuenta al resto de la clase.

02
ROMPER EL TECHO DE CRISTAL

Lee de nuevo la introducción al texto "Romper el techo de cristal" y asegúrate de que lo entiendes bien. Después, cierra el libro y completa el párrafo con las palabras que faltan o con otras que sean adecuadas.

En los estudios de .... se denomina "techo de cristal" a la limitación no explícita que sufren las mujeres en su vida laboral y que les impide alcanzar .... en empresas e instituciones. Es una .... invisible, pero fácilmente observable si tenemos en cuenta las cifras de mujeres que ocupan altos cargos. Desde el año 2013 la BBC elabora una lista de 100 mujeres de todo el mundo que destacan por sus ...., sus luchas o sus experiencias .... La lista incluye tanto a mujeres que ya son famosas como a otras menos conocidas. En las listas de los últimos años se ha prestado especial atención a aquellas que se han .... a los retos de las mujeres en cuatro áreas: el techo de cristal, el .... femenino, el acoso callejero y el .... en el deporte.

¿Cuáles de estas afirmaciones se refieren a Evelyn Miralles y cuáles a Mariana Costa Checa? Vuelve a leer los textos de la página 130 del Libro del alumno para comprobarlo.

	Evelyn Miralles	Mariana Costa Checa
1. Ha logrado que muchas mujeres trabajen en el sector de la tecnología.	☐	☐
2. Es una emigrante que salió de su país para formarse en el sector de la informática.	☐	☐
3. Piensa que las diferencias entre mujeres y hombres pueden ser positivas a la hora de desarrollar proyectos.	☐	☐
4. Afirma que algunos tópicos sobre las diferencias entre los hombres y las mujeres han sido muy dañinos.	☐	☐
5. Su proyecto está basado fundamentalmente en la educación y la formación profesional.	☐	☐
6. Ha dirigido equipos que han obtenido logros importantes en la carrera espacial.	☐	☐

20

Elige, en el Libro del alumno, uno de los dos perfiles: Evelyn o Mariana. Vuelve a leer el texto que has escogido y subraya las cinco palabras o combinaciones de palabras más importantes para resumir su contenido. Compara después tu selección con la de un compañero que haya elegido el mismo texto e intentad llegar a un acuerdo.

21

Con un compañero, escribid un resumen del texto usando las cinco palabras o combinaciones de palabras que habéis decidido.

Vuelve a escuchar el perfil de Tamara de Anda y el de Melissa Rodríguez, y completa las fichas con la información que falta.

1.

Tamara estudió ....

Se hizo famosa en 2004 con ....
....

Es periodista, trabaja en la radio y denuncia ....
....

En 2017 denunció un ataque de acoso ....
....

Tamara ha recibido muchos ....
....

2.

Melissa es una mujer ....
....

Envió un correo electrónico a toda su empresa para ....
....

En Silicon Valley las mujeres directivas ....
....

Melissa trabaja para conseguir mayor participación de ....
....

Escoge uno de los cuatro perfiles del Dosier 02, busca más información en internet y toma notas para completar su biografía.

En clase nos dividimos en grupos en función del personaje que hemos escogido: Evelyn, Mariana, Tamara o Melissa. Compartimos la información que hemos obtenido y la preparamos para presentarla al resto de la clase.

Completa las frases con palabras diferentes cada vez.

1. En 1992 la NASA estaba buscando ingenieros que pudieran trabajar en el desarrollo de sus programas de realidad virtual.

a. En 1992 la NASA estaba buscando ingenieros que *quisieran colaborar en un proyecto de mediciones tridimensionales.*

b. En 1992 la NASA estaba buscando ....
que ....
....

c. En 1992 .... **estaba buscando** ....
.... **que** ....
....

d. En .... **estaba** ....
.... **que** ....

Completa estas frases de maneras diferentes al ejemplo.

1. Había poquísimas mujeres de origen humilde que llegaran a tener una formación especializada, y menos aún que se formaran en el sector tecnológico.

a. Había poquísimas mujeres de origen humilde que llegaran a ....
....

b. Había poquísimas mujeres de origen humilde que ....
....
....

c. Había poquísimas mujeres .... **que** ......
....
....

d. Había poquísimas/os .... **que** ....
....
....

27

Elige la continuación más adecuada para cada frase.

1. En 1980 la NASA estaba trabajando en un proyecto secreto que...

- [ ] **a.** necesita una fuerte subvención del Gobierno.
- [ ] **b.** necesitaba una fuerte subvención del Gobierno.
- [ ] **c.** necesite una fuerte subvención del Gobierno.

2. El Gobierno necesita urgentemente aprobar unos presupuestos que...

- [ ] **a.** ofrecían muchas ayudas sociales.
- [ ] **b.** ofrezcan muchas ayudas sociales.
- [ ] **c.** ofrecieran muchas ayudas sociales.

3. No sé adónde iremos de vacaciones en verano, pero seguro que es a algún lugar donde...

- [ ] **a.** había playas y hacía buen tiempo.
- [ ] **b.** haya playas y haga buen tiempo.
- [ ] **c.** hubiera playas e hiciera buen tiempo.

4. Acabamos de ver por la calle a aquel chico italiano tan guapo con el que...

- [ ] **a.** salía mi hermana hace unos años. ¡Está igual!
- [ ] **b.** salga mi hermana hace unos años. ¡Está igual!
- [ ] **c.** saliera mi hermana hace unos años. ¡Está igual!

5. No creo que nos aprueben el proyecto para el que...

- [ ] **a.** hemos presentado todos los papeles esta semana.
- [ ] **b.** habíamos presentado todos los papeles esta semana.
- [ ] **c.** hayamos presentado todos los papeles esta semana.

28

Completa con la forma correcta del verbo en presente de indicativo o de subjuntivo.

1. Trabajo en una oficina en la que nunca (funcionar) ....ni la calefacción ni el aire acondicionado.

2. Mis padres están buscando una casa que (tener) ....ascensor. Están mayores ya.

3. Luis está pensando estudiar una carrera con la que (poder) ....irse luego a vivir al extranjero.

4. En nuestro barrio hay muchos restaurantes donde no (servir) ....alcohol.

5. En nuestro barrio apenas hay comercios que (abrir) ....los domingos.

6. Queremos ir de vacaciones este año a algún hotel en el sur donde (permitir) ....llevar perros.

7. Este verano vamos de vacaciones al mismo hotel al que (ir) ....siempre: es una maravilla.

29

Escribe las frases anteriores en pasado.
Puede haber varias posibilidades.

1. ....

....

2. ....

....

3. ....

....

4. ....

....

5. ....

....

6. ....

....

7. ....

....

30

Rubén ha tenido muy mala suerte en la vida: su vida actual es muy diferente a la vida con la que soñaba de joven. Imagina cómo era esa vida que soñaba y escríbelo. Fíjate en el ejemplo.

> **1. En su trabajo gana bastante poco al mes, tarda una hora en metro desde casa y se pasa el día sentado en una oficina.**

Rubén soñaba con tener un trabajo en el que ganara mucho dinero.

> **2. Su casa es un estudio de una habitación, está en una ciudad enorme y tiene poca luz.**

....

....

> **3. Está soltero, no tiene hijos y sus padres viven al lado.**

....

....

> **4. Todos los años va de vacaciones con sus padres un mes a Benidorm.**

....

....

31

¿Qué cosas querías de pequeño y son distintas ahora? Escríbelas siguiendo la estructura del ejemplo.

Yo quería vivir en una ciudad que tuviera mejor calidad de vida que esta.

 32

Julia y Oriol son dos directores de cine que están preparando su primera película juntos. Julia es más optimista y piensa que es posible conseguir lo que buscan. Oriol lo ve todo más improbable. ¿Qué frase dice cada uno? ¿Cuál es la diferencia gramatical?

	Julia	Oriol
1. Me encantaría poder contar con una actriz que se pareciera a Meryl Streep.	☐	☐
2. Me gustaría poder rodar en un lugar en el que haga siempre buen tiempo, como Canarias o Marruecos.	☐	☐
3. Lo mejor sin duda sería lograr una financiación que nos permita rodar sin agobios durante un año.	☐	☐
4. Yo contrataría a un compositor nuevo, pero que conociera bien nuestras películas anteriores.	☐	☐
5. Podríamos estrenar la película en algún festival en el que hayamos ganado un premio antes.	☐	☐
6. Creo que esta vez trabajaríamos mejor con actores que no sean muy conocidos.	☐	☐
7. Necesitaríamos un director de *casting* que hablara español, alemán y francés, para poder comunicarse con todo el equipo.	☐	☐

33

Para su película, Julia y Oriol piensan en estas otras cosas. ¿Cómo lo formularía cada uno? Escríbelo siguiendo el modelo de la actividad anterior.

1. Una empresa de *catering* local que (ofrecer) menús veganos y sin gluten.

Julia: ....

Oriol: ....

2. Un equipo de maquillaje y peluquería que (tener) algún Óscar.

Julia: ....

Oriol: ....

3. Una buena distribución que (permitir) estrenar la película en más de 200 salas al mismo tiempo.

Julia: ....

Oriol: ....

34

Imagina que vas a ir el próximo verano a estudiar español a una escuela en un país de Latinoamérica. ¿Qué características te gustaría que tuviera esta escuela?

Características posibles
que no sea demasiado cara

Me gustaría ir a una escuela **que**
en la que / donde
a la que
...

Características poco probables
donde enseñaran también otras lenguas locales

35

Lee lo que dice Marcela, una madre con tres hijos pequeños. ¿Qué diferencia hay entre las frases con infinitivo, con presente de subjuntivo y con imperfecto de subjuntivo? Discútelo con un compañero y completad la regla.

1.

a. Normalmente *procuro* **dormirme** pronto para poder madrugar.
b. *Procuro* que mis hijos **se duerman** pronto para que puedan descansar ocho horas.
c. De pequeña *procuraba* que mis hermanos **se durmieran** antes que yo para poder encender la luz y leer.

2.

a. A veces *consigo* **salir** de trabajar antes de las 5 para poder ir a clase de yoga.
b. Me resulta muy difícil *conseguir* que mi hija pequeña **se bañe** todos los días.
c. Hace dos años mi marido *consiguió* que lo **trasladaran** a esta ciudad.

3.

a. Carlos, el mayor, *estaba empeñado en* **estudiar** violín.
b. Laura, la mediana, *está empeñada en* que yo la **recoja** todos los días del colegio.
c. Cuando vivíamos en Barcelona, mis padres *se empeñaron en* que mis hermanos y yo **aprendiéramos** catalán.

Usamos el **infinitivo** cuando ...

no importa si la frase está en ...

o en

Usamos el **subjuntivo** cuando

presente de subjuntivo si

e imperfecto de subjuntivo si ...

36

Escribe otras tres frases de Marcela siguiendo el modelo anterior. Utiliza alguno de los verbos del recuadro.

- **intentar**
- **tratar de**
- **lograr**
- **luchar por**
- **impedir**

37

Completa con información personal.

1. Normalmente intento ....

....

2. Normalmente intento que ....

....

3. Cuando era pequeño, intenté muchas veces ....

....

4. Cuando era pequeño, intenté muchas veces que ....

....

---

38 **52**

Escucha este concurso y completa con las palabras que faltan.

1. Este presidente .... **que se** .... **la esclavitud en Estados Unidos.**

2. Fue un gran inventor, y .... **además que el coche se** .... **en un objeto de consumo.**

3. Los cálculos .... **de esta mujer** .... **que el Apolo XI** .... **a la Luna en 1969.**

4. Estas activistas .... **muchos años por que las mujeres** .... **votar en** .... **. No lo lograron hasta 1918.**

5. Sus errores de cálculo .... **que los europeos** .... **lo que después se llamó** .... **.**

6. Sus investigaciones .... **clave para que los** .... **negros** .... **a ser conocidos.**

7. Fue una gran científica y .... **a ella hoy se emplea la** .... **para combatir el cáncer.**

8. Este empresario español, ... **de Zara y de Massimo Dutti (entre otras), es una de las personas más** .... **del mundo.**

39

Compara las palabras que has escrito con un compañero. Escribid después de quién se habla en cada caso. ¿Qué pareja sabe más respuestas?

1. ....

2. ....

3. ....

4. ....

5. ....

6. ....

7. ....

8. ....

40

En parejas, escribid una frase sobre un personaje conocido siguiendo el modelo de la actividad 37. ¿Pueden adivinar vuestros compañeros de quién se trata?

03
RECUERDOS DE INFANCIA

41

Estas frases se refieren a temas que aborda Mario Vargas Llosa en el texto de las páginas 134 y 135 del Libro del alumno. ¿A qué fragmento corresponde cada una?

	1	2	3
Habla de la boda de sus padres.	☐	☐	☐
Cuenta cómo su madre le descubre la verdad sobre la muerte de su padre.	☐	☐	☐
Analiza la razón de fondo que hizo fracasar el matrimonio de sus padres.	☐	☐	☐
Explica que nunca tuvo más familia que la de su madre.	☐	☐	☐
Describe la situación de su madre en Lima y el mal carácter de su padre.	☐	☐	☐

42

Lee el texto de nuevo y localiza estas secuencias de palabras. ¿Cómo las traducirías a tu lengua?

	En mi lengua
historia de folletín	....
noviazgo epistolar	....
régimen carcelario	....
escenas de celos	....
fracaso conyugal	....
de la noche a la mañana	....
variopinta sociedad peruana	....
enfermedad nacional por antonomasia	....

43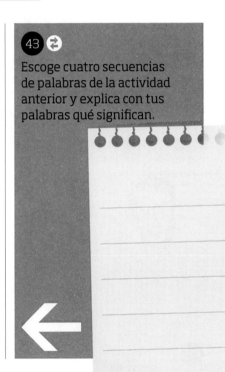

Escoge cuatro secuencias de palabras de la actividad anterior y explica con tus palabras qué significan.

44

¿Qué otras palabras o secuencias de palabras nuevas has aprendido con el texto de Vargas Llosa y quieres recordar? Escribe una frase con cada una. Compártelas después con un compañero y explícale lo que significan.

1. ....

2. ....

3. ....

4. ....

45

Mira la imagen del apartado 1 de la Agenda de aprendizaje e intenta recordar el mayor
número posible de palabras. Cierra después el libro y completa las palabras que faltan.

46

Escribe algunas frases para hablar de tu familia. Intenta usar palabras de la imagen que no conocías.

1. Tengo un cuñado; se llama Roberto y es
hermano de mi novio.

2.

3.

4.

5.

6.

47

En grupos, cada uno elige a una persona interesante de su familia (una prima, un cuñado, un bisabuelo...). Por turnos, tenéis un minuto para hablar de esa persona. Los demás compañeros pueden hacer preguntas.

48

Relaciona el principio de cada frase con su final más probable.

1. Carlos no cantaba bien,
2. Carlos no cantó bien aquella noche,

a. pero el público aplaudió como siempre.
b. por eso no se dedicó a la música.

3. Estuvimos con mis padres de vacaciones
4. Estábamos con mis padres de vacaciones

a. cuando enfermó mi abuela.
b. en Ibiza en agosto y lo pasamos muy bien.

5. Vivíamos todos en Madrid
6. Vivimos todos en Madrid

a. cuando mi hermana se casó con Ricardo.
b. hasta que se jubiló mi padre.

7. A las siete Nacho y Julio fueron al gimnasio
8. A las siete Nacho y Julio iban al gimnasio

a. y estuvieron allí unas dos horas.
b. pero la madre de Nacho se presentó en su casa.

49

Escribe parejas de frases sobre ti o sobre personas de tu entorno con indefinido y con imperfecto.

1.
Trabajé de camarero / Trabajaba de camarero...

2.

3.

4.

50

Lee las frases de tu compañero, imagina un contexto más amplio para cada una y termínalas. ¿Es muy diferente de la realidad?

—Trabajaste de camarero cuatro años. Trabajabas de camarero mientras estudiabas la carrera.
—Bueno, casi. Trabajé de camarero...

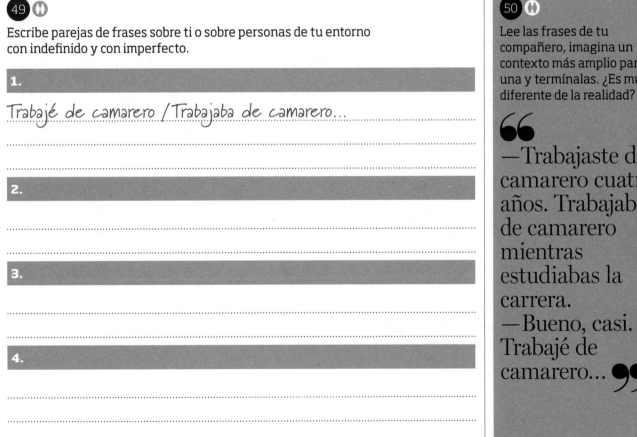

51

¿Qué párrafos pertenecen al registro coloquial (una conversación, por ejemplo)
y cuáles al registro culto (un fragmento de una novela...)?

	coloquial	culto
1.		
a. Su padre murió en 1999, pero no lo superó realmente hasta el 2015 o 2016 o así, que fue cuando conoció a Marta.	☐	☐
b. Su padre murió en 1999, pero no superaría aquella pérdida hasta muchos años después, cuando conoció a Marta.	☐	☐
2.		
a. Colón llegó a América en 1492. Él pensaba que era Asia y hasta 1504 no se supo que era un continente nuevo.	☐	☐
b. Cristóbal Colón llegó a lo que él pensó que eran las Indias en 1492. Hasta 1504 no se sabría que, en realidad, se trataba de un nuevo continente.	☐	☐
3.		
a. Cuando cumplió los 50, Ana Rosa recordaría la tarde que su padre anunció que dejaba el tabaco.	☐	☐
b. Cuando cumplió 50, Ana Rosa se acordó de la tarde en que su padre les dijo que dejaba de fumar.	☐	☐

52

¿Qué pensaban estas personas sobre su futuro cuando tenían seis años?
Cuéntalo desde la perspectiva de hoy.

1. Hugo: "Me iré a América, seré astronauta y viajaré a Marte".
Hugo decía que ....
....

2. Raquel: "Viviré siempre con mis padres y no tendré novio nunca".
Raquel pensaba que ....
....

3. Ana: "Seré capitana de barco y daré la vuelta al mundo muchas veces".
Ana decía que ....
....
....

4. Sergio: "Jugaré en el Real Madrid, ganaré muchísimo dinero y le compraré una casa nueva a mi padre".
Sergio pensaba que ....
....
....

5. Paula: "Estudiaré mucho e inventaré un robot que haga los deberes".
Paula estaba convencida de que ....
....
....

53

Escribe cinco frases sobre ti: ¿qué pensabas de pequeño sobre tu futuro que después ha sido diferente?

1. Nunca pensé que ....
....................................**y, sin embargo,**
....

2. Pensaba que ....
....................................**, pero al final**
....

3. Estaba seguro de que ....
....................................**y al final**
....

4. Creía que ....
....
....

5. Imaginaba que ....
....
....

54

Conecta estas informaciones en una sola frase.

1.

- **Mi trabajo está en un edificio enorme.**
- **En ese edificio hay cinco ascensores.**
- **Dos de esos ascensores se estropean muy a menudo.**

2.

- **Mi tía Julia se casó con un marino.**
- **Tenía muy poco en común con el marino.**
- **No veía mucho al marino porque solía estar de viaje.**

3.

- **Los vecinos se han comprado una furgoneta.**
- **Los vecinos acaban de mudarse al 4.º piso.**
- **En la furgoneta caben todos: la pareja, seis niños y un perro.**

4.

- **Mis cuñados vienen a pasar el verano a la casa de la playa.**
- **No tengo muy buena relación con mis cuñados**
- **Mi suegra compró el apartamento el año pasado.**

55

Imagina un contexto en el que sea posible usar cada una de estas frases. Escribe un párrafo
o un diálogo en el que puedas insertar la frase y darle sentido. Leed después vuestros textos
en clase y decidid quién ha contextualizado mejor sus frases.

1. Se las he dado para que decidan ellos dónde ponerlas.

2. Yo le dije que había que buscar una con la que no tuviéramos tantos problemas.

3. Se lo ocultaron hasta que ella murió.

4. Prefiero otro por el que no tengamos que pagar tanto dinero.

1.
— He colocado los cuadros aquí por el momento,
  ya veremos dónde los ponemos luego.
— Yo he puesto todos los platos y vasos ya en el armario.
  ¿Qué hacemos con las dos cajas de libros de los niños?
— Ah, se las he dado para que decidan ellos dónde ponerlas.
— Muy buena idea, así hacen algo.

ARCHIVO DE LÉXICO

57

Añade dos palabras o combinaciones de palabras en cada categoría de la actividad anterior.

56

Organiza las palabras del recuadro en estas tres categorías. Algunas palabras pueden ir en más de una.

- envejecer
- crecer
- ponerse a trabajar
- conseguir una beca
- quedarse embarazada
- dar a luz
- dejar los estudios
- separarse
- quedarse huérfana
- graduarse
- cambiar de trabajo
- casarse

Describen cambios físicos	Describen cambios familiares	Describen cambios profesionales

58

Escribe frases sobre tu familia y tus amigos usando estas palabras.

1. Quedarse viudo/a: ....

....

2. Quedarse embarazada: ....

....

3. Irse a vivir a: ....

....

4. Pasar una temporada en: ....

....

....

5. Tener la suerte de: ....

....

6. Quedarse huérfano/a: ....

....

7. Ponerse a trabajar: ....

....

ESCRITURA

59

Leemos el texto introductorio de este artículo. Después, en parejas, cada uno lee un testimonio y se lo cuenta a su compañero. Buscad en internet el significado de las palabras que no conozcáis y de las referencias culturales que aparecen.

Día del Maestro

En primera persona: el docente que marcó mi vida

Entre mujeres reunió varios relatos para evocar a maestros y profesores que dejaron huella de diferentes formas. Recuerdos emotivos que van del jardín a la universidad.

Enseñan, protegen, presentan nuevos horizontes, alientan el espíritu crítico, ayudan más allá de sus disciplinas, fomentan los lazos sociales y cumplen un rol fundamental en la vida de sus alumnos. Desde la educación inicial hasta la universitaria, los docentes dejan una marca indeleble en la historia de cada uno de sus estudiantes. **Entremujeres** reunió el relato de quienes hoy evocan a esas señoritas, profesores y doctores a los que destacaron por su amor, por su sabiduría, por su compromiso, por apostar por la educación pública, por mostrar el lado B de la historia y por sembrar conciencia.

El de la honestidad brutal

Atilio Borón es, seguramente, uno de los politólogos argentinos más reconocidos. Es titular de la cátedra de Teoría Política y Social, una de las primeras materias que cursamos los (ahora ex) alumnos de Ciencia Política en la UBA. Atilio arrancó con una honestidad brutal: "Les pido que se miren bien las caras; de todos ustedes, solo el 10% se recibirá". Recuerdo ese episodio, porque además, cuando dijo eso, miré (sin saberlo) al que iba a ser mi novio y a otros futuros colegas. Hacia el final de la clase, Borón nos dijo que "de todas formas" nuestro paso por la facultad nos iba a "transformar", así sea "un cuatrimestre o toda una carrera". "Ah, y un consejo", dijo a la salida, "yo que ustedes invertiría la plata en comprarme el diccionario de Ciencia Política de Norberto Bobbio". Cinco años más tarde Borón me daba el título (en ese lapso, tres años, fui ayudante en su cátedra), tengo el diccionario en mi casa, y el chico al que miré en su clase vive conmigo.

CECILIA CAMARANO

Por demostrar que el esfuerzo vale la pena

Yo iba a un colegio privado bastante elitista y siempre sentí que no era para mí, pero también el sistema me lo hacía notar cada vez que podía. Cuando empecé la secundaria, hubiera mandado todo al demonio si una profesora de Historia (Ana Grosso) no se hubiese tomado el trabajo y la dedicación de acompañarme los primeros años y demostrarme que el esfuerzo valía la pena, más allá de todo, porque a través de los logros que son personales uno puede modificar su vida y la de otros, si es solidario. Hasta ese momento estaba convencido de que el entorno era capaz de matar toda aspiración o anhelo en la vida y que solo nos quedaba el conformismo mimético para no desencajar en una trama social bastante compleja. Esta mujer me abrió la cabeza al mundo de las ideas con la premisa de que todo esfuerzo por cambiar vale la pena.

FRANCESCO GARABELLO

https://www.clarin.com/entremujeres/hogar-y-familia/hijos/escuela-maestros-docentes-dia_del_maestro_0_B1ifVDlh.html

60

Escribe tú un texto con el título "En primera persona: el docente que marcó mi vida" para la misma revista que ha publicado los testimonios.

En primera persona: el docente que marcó mi vida

61

En el primer capítulo de *El pez en el agua*, Mario Vargas Llosa utiliza estas expresiones para describir a su abuelo, a su abuela y a su padre. ¿Cómo imaginas que eran ellos o sus vidas? Escríbelo usando todas las palabras y secuencias de palabras de la lista que puedas. Puedes comparar después tu texto con el fragmento original.

Mi abuelo Paterno Marcelino
radiooperador
la pasión de su vida fue la política
vivió a salto de mata
deportado
prófugo

Mi abuela Zenobia
expresión implacable
no vacilaba en azotar (a sus hijos)
dar de comer a sus cinco hijos
tres murieron

Mi padre
colegio nacional
aprendiz en la zapatería
radiooperador

62

Busca información sobre una mujer de tu país famosa por haber roto el techo de cristal en alguna disciplina y escribe un texto sobre ella. Puedes explicar aspectos como los siguientes y acompañar el texto con una fotografía.

- quién es
- cuál ha sido su trayectoria
- por qué es famosa
- ...

EL ARTE Y LA FIESTA

01
EL ENTIERRO DE LA SARDINA

1

Anota al menos cuatro cosas que has aprendido sobre las fiestas populares de las regiones o países de tus compañeros de clase.

En Suecia se celebra una fiesta de inicio del verano y se hacen coronas de flores.

2

¿Qué sabías del carnaval antes de empezar la unidad? ¿Qué no sabías?

Sabía que...	No sabía que...

3

¿Cómo se expresan las siguientes ideas en el texto "El entierro de la sardina" de la página 142 del Libro del alumno?

1. Es probablemente la fiesta no religiosa que se celebra en más países.

2. Celebraciones dedicadas al dios Saturno.

3. El comienzo del buen tiempo.

4. Su nombre viene del italiano, de la palabra...

5. Esto es así porque...

4

Los siguientes elementos pueden estar presentes en muchas fiestas y tradiciones. ¿Conoces el significado de todos ellos? Busca en un diccionario los que no conoces.

- **fuegos artificiales**
- **bengalas**
- **banderitas**
- **globos**
- **gente disfrazada**
- **trajes regionales típicos**
- **plumas**
- **instrumentos musicales**
- **gente maquillada**
- **hogueras**
- **flores**
- **confeti**

- **bandas de música**
- **gente con peluca**
- **bailes**
- **animales**
- **puestos de comida**
- **carrozas**
- **un desfile**
- **caballos**
- **velas**
- **dulces o golosinas**
- **gente cantando**
- **máscaras**

5

Vuelve a ver el vídeo. ¿Qué elementos de la actividad anterior aparecen?

←

6

Piensa ahora en una fiesta famosa de tu país. ¿Cuáles de los elementos anteriores están presentes?

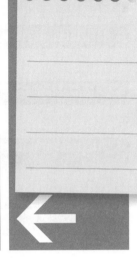

←

7

Completa los textos con las palabras que faltan. Lee la transcripción del vídeo o vuelve a verlo para comprobar tus respuestas.

1.

El entierro de la sardina se celebra... Con él termina el carnaval y comienza la Cuaresma, los cuarenta días que en la religión cristiana preparan la... La .... consiste en un desfile que parodia un cortejo fúnebre. El muerto es una inmensa sardina..., cartón, madera y otros materiales. Aunque se llama "entierro", la sardina, en realidad, ...

2.

A la cabeza del .... va alguien... o de otro representante de la Iglesia y tras él las lloronas o plañideras, ..., llorando por la muerte de la sardina.

3.

Al parecer, la quema o el entierro de la sardina... Se quema o entierra lo negativo del pasado para afrontar el futuro con esperanza y energía. Por eso, ..., sino alegre. El carnaval se despide en clave de broma o de parodia, de fiesta.

8.

Piensa en fiestas que cumplan estas características y escribe sus nombres. Intenta no repetir ninguna.

1. Se celebra en verano.

El Día Nacional de Francia, el 14 de julio

2. Se celebra desde hace más de 200 años.

3. Es una celebración religiosa.

4. Originariamente era una celebración pagana.

5. Su nombre proviene de la época del año en que tiene lugar.

6. La gente se viste con ropa especial para el evento.

7. Está relacionada con un hecho histórico.

8. Se decoran las calles y las casas.

9. Existe la costumbre de cantar y bailar.

10. La gente suele reunirse en el campo.

9.

Lee este texto sobre el Cascamorras, una fiesta andaluza, y completa la ficha con tus propias palabras.

El Cascamorras

Esta fiesta se celebra en Guadix y en Baza, dos localidades de la provincia de Granada, y tiene su origen en el siglo XV. La leyenda cuenta que un obrero de Guadix encontró la talla de una virgen entre las ruinas de una antigua mezquita mozárabe de Baza y pensó que la virgen debería pertenecer a la ciudad de Guadix, porque era él quien la había encontrado. Sin embargo, en Baza pensaban que debía pertenecer a su ciudad, puesto que se había encontrado allí.

Todos los años, entre los días 6 y 7 de septiembre, el Cascamorras (un personaje vestido con un traje multicolor) sale de Guadix camino de Baza con el propósito de recuperar la imagen de la Virgen de la Piedad, pero los vecinos de Baza intentan impedírselo y le lanzan pintura negra y aceite de motor en animadas carreras por las calles del pueblo.

El Cascamorras solo puede llevarse la imagen de la virgen si consigue llegar hasta ella totalmente limpio. Como nunca logra su objetivo, el día 9, vuelve a Guadix sin la virgen. Esto provoca el enfado de sus vecinos, que vuelven a pintarlo y a mancharlo con pintura negra y aceite.

1. ¿Dónde y cuándo se celebra?

2. ¿Cuál es su origen?

3. ¿En qué consiste la celebración?

4. ¿Te gustaría participar? ¿Por qué?

10

Estas son otras fiestas populares de España. Busca información sobre dos de ellas y completa una ficha para cada una. Comparte la información con tus compañeros.

> • **La Tamborrada (San Sebastián)**
> • **El Rocío (Huelva)**
> • **La Vijanera en Silió (Cantabria)**
> • **El salto del Colacho (Burgos)**
> • **La romería de Santa Marta de Ribarteme (Pontevedra)**

1. Nombre de la fiesta

....

2. ¿Dónde y cuándo se celebra?

....

....

3. ¿Cuál es su origen?

....

....

4. ¿En qué consiste la celebración?

....

....

5. ¿Te gustaría participar? ¿Por qué?

....

....

1. Nombre de la fiesta

....

2. ¿Dónde y cuándo se celebra?

....

....

3. ¿Cuál es su origen?

....

....

4. ¿En qué consiste la celebración?

....

....

5. ¿Te gustaría participar? ¿Por qué?

....

....

11

¿Conoces otras fiestas españolas o latinoamericanas? Escribe su nombre y lo que sepas de ellas. Después, comparte la información con un compañero.

Nombre de la fiesta	Información
....	....
....	....
....	....
....	....
....	....

12

Algunos viajeros han dejado sus comentarios en un foro sobre su participación en distintas fiestas españolas muy conocidas. ¿A qué fiesta se refiere cada uno?

1. Y la calle por la que van a correr, a eso de las 8, se va llenando de gente normalmente vestidos de blanco y rojo, de pie, apretados, pero con un ambiente único. No he visto cosa así en ninguna ciudad.

3. Es una locura muy divertida. Parece increíble que la gente vaya a que le tiren cosas, pero la verdad es que es especial. Si vas, un consejo: llévate ropa vieja, porque al final tendrás que tirarla de lo sucia que se pone.

2. Solo los que son de esa región pueden soportarlo, creo. Cuando suenan los cohetes, te retumba el sonido dentro del cuerpo, pero tengo un amigo que dice que hay que ser de allí para entenderlo. Y luego el fuego, que es impresionante. Y me sorprende mucho que la gente pase todo el año trabajando en las figuras para quemarlas después y que desaparezca todo en un minuto.

4. Es uno de los más grandes y más famosos del mundo. Durante dos semanas, hay muchísimos eventos en la calle, en el estadio, desfiles... Los trajes son impresionantes, especialmente los de las reinas, que son muy pesados. Y por la noche, le toca a la gente celebrar su fiesta. Todo el mundo se junta en el centro histórico, disfrazada de fantasma, de ángel, de muerto...

13

¿Hay alguna fiesta en tu entorno que sea polémica por algún motivo (porque se maltrate a animales, porque sea machista...)? ¿Qué opinión tienes tú? Habla con un compañero.

14

Sitúa en este mapa de España el nombre de las fiestas populares que conoces según dónde se celebran y escribe al lado algún dato relevante sobre ellas.

El Cascamorras
6 y 9 de septiembre

15

Compara tu mapa con el de un compañero. ¿Tenéis las mismas fiestas? Añade las que no tengas. ¿A cuáles os gustaría ir?

16

Completa con las expresiones del recuadro. No puedes repetir ninguna de ellas.

- **se afeitó**
- **se pintó de gris**
- **se maquilló**
- **se vistió de**
- **se puso**
- **iba disfrazada de**
- **se pintó**
- **se disfrazó de**
- **iba disfrazado**
- **llevaba**

Pues en la última fiesta de disfraces nos lo pasamos muy bien.

Clara .... blanco y .... una corona de flores en la cabeza. Parecía un hada.

Gilberto .... la barba y era muy difícil reconocerlo sin ella. Luego .... un bigote falso con maquillaje.

No sé de qué ...., la verdad.

Enrique .... gángster. .... un traje oscuro de rayas y se pintó una cicatriz en la cara.

Noelia .... bruja. .... el pelo y .... la cara para parecer más vieja. Y claro, se buscó una escoba y un sombrero.

17

Discute con un compañero de qué va disfrazado alguien que...

1. ... se pone una bata con muchos bolsillos, lleva unas tijeras, un peine y un secador.

....

2. ... se pone un traje elástico ajustado con un cinturón, lleva capa y se pinta un antifaz en la cara.

....

3. ... lleva un traje de rayas amarillas y negras, se pinta la punta de la nariz de negro y unos bigotes, y además lleva una cola.

....

4. ... lleva un sombrero negro y alto, una capa negra y una varita.

....

18

Piensa en tres disfraces y descríbelos. Tus compañeros intentan adivinar de qué disfraces se trata.

❝

—Te pones unas gafas redondas y llevas una varita. En la frente te pintas un rayo y...
—¡De Harry Potter!
—Sí. ❞

19

¿Te has disfrazado alguna vez? Habla con dos compañeros.

- ¿De qué te disfrazaste?
- ¿Para qué ocasión?
- ¿Cómo era el disfraz?

- ¿Cómo quedó?
- ¿Qué dificultades encontraste?
- ¿Alguien más iba disfrazado?

20

En parejas. Cada uno lee un texto sobre la Mama Negra, una famosa fiesta ecuatoriana. Compartimos la información y creamos juntos un mapa mental a partir de ella.

1.

La figura central de la fiesta es la Mama Negra, personificada siempre por un hombre con el rostro totalmente pintado de negro, vestido con coloridas ropas típicas, que recorre a caballo las calles de la ciudad. La Mama Negra representa a una esclava liberta que lleva con ella a sus tres hijos: dos sobre el caballo, y la niña menor en brazos, a la que hace bailar. De vez en cuando, la Mama Negra aprieta un recipiente que lleva lleno de leche y agua y lanza el líquido a los espectadores.

A la Mama Negra la acompañan, en su recorrido, varios personajes, como los priostes, el Ashanga o esposo y otros de carácter religioso y militar, como el Ángel de la Estrella, los Tiznados, el Rey Moro, los Engastadores, el Abanderado y los Yumbos. Durante su recorrido, estos personajes van repartiendo bebidas y dulces a los curiosos que encuentran a su paso.

También junto a la Mama Negra aparecen otras "doñas" que llevan pelucas, ricos trajes y joyas, y reparten besos entre los hombres, pequeñas bolsas con hallullas, o pan típico, entre los niños, y flores entre el público en general.

La Mama Negra, al igual que las otras "doñas", ni es mujer, ni es negra, lo cual hace mucho más folclórica y atractiva su figura, pues generalmente es representada por una de las más importantes personalidades de la ciudad que, identificada con la tradición, acepta el papel y lo desempeña con simpatía, devoción y espíritu ciudadano.

Adaptado de www.enciclopediadelecuador.com y ec.viajandox.com

2.

La fiesta de la Mama Negra –que se celebra en Latacunga– es una de las más bellas y tradicionales del Ecuador y constituye un fenómeno cultural absolutamente mestizo. No se sabe mucho sobre su origen, pero los investigadores coinciden en que ya se celebraba en épocas de la colonia. Los mismos latacungueños no saben con seguridad cuál es su origen, pero sostienen que es la fusión de las costumbres y tradiciones de los diferentes grupos étnicos que habitaron la región.

La Mama Negra es indígena, africana e hispana, y en esta triple perspectiva radica la belleza de su contenido. Hay una gran variedad de personajes, atuendos, danzas, máscaras, comparsas, ritmos, canciones, comida, bebida y espectáculos. Todo ello da vida y realidad a esta fiesta, que no es otra cosa que una gigantesca y maravillosa farsa o tragicomedia protagonizada por todo el pueblo.

La fiesta se celebra en dos fechas de profundo significado religioso: la primera entre los días 23 y 24 de septiembre (los días de la Virgen de las Mercedes); estos días, las vendedoras del mercado de La Merced, junto con sus familiares y vecinos, participan en el desfile y en la ceremonia. La segunda se realiza en la primera semana de noviembre; en estas fechas se celebra el aniversario de la independencia.

21

Buscamos más información y otras imágenes sobre la Mama Negra para completar nuestro mapa mental.

02
EL ARTE DE LA FIESTA

22

Señala cuáles de las siguientes ideas aparecen en el texto de la página 146 del Libro del alumno.

☐ 1. El espectáculo que ofrecen las multitudinarias fiestas religiosas de México no se encuentra fácilmente en otros sitios.

☐ 2. La fusión de culturas ha originado que se celebren conjuntamente tradiciones religiosas y paganas.

☐ 3. La fiesta anual del santo de la ciudad o de cada gremio es una herencia hispánica.

☐ 4. El elevado número de celebraciones y el esplendor con el que se celebran es un indicador del nivel de pobreza del país.

☐ 5. En los países más ricos se ha perdido la idea de comunidad en las manifestaciones públicas.

☐ 6. Las fiestas son la ocasión para compensar al pueblo de la miseria que sufre.

☐ 7. Las fiestas son el equivalente mexicano de los momentos de ocio y diversión de otras culturas.

☐ 8. El caos reina por algún tiempo para disminuir las tensiones que crean las desigualdades sociales.

☐ 9. A través de la fiesta, la sociedad se permite a sí misma no seguir sus propias reglas.

23 🔊 **53**

Otra persona expresa su opinión sobre algunos de los temas de la actividad anterior. ¿Qué piensa sobre ellos? Toma notas.

....

....

....

....

....

....

....

....

....

....

24

Busca en el texto sinónimos de las siguientes palabras y escribe un ejemplo con cada uno.

1. Fiesta

....

2. Celebrar

....

3. Juntarse

....

4. Pasarlo bien

....

5. Vestirse (de)

....

25 **54-55**

Contesta a estas preguntas sobre el Día de Muertos. Vuelve a escuchar las conversaciones de la actividad D del Libro del alumno para comprobar tus respuestas y añadir detalles.

1. ¿Qué relación tiene la cosecha del maíz con el Día de Muertos?

....
....
....
....

2. ¿Cómo se guía a las almas hasta la casa?

....
....
....
....

3. ¿Qué se hace en honor de los muertos?

....
....
....
....

4. ¿Por qué dicen que es una fiesta completamente familiar?

....
....
....
....

5. ¿Qué diferencias hay entre las regiones de México mencionadas en el audio?

....
....
....
....

6. ¿Qué ha cambiado en esta fiesta en los últimos tiempos?

....
....
....
....

26

Haz una lista de palabras clave para hablar de esta fiesta. Consulta la transcripción si lo necesitas.

27

En cada lugar hay diferentes tradiciones sobre los rituales asociados al paso de la vida a la muerte. Redacta algunas preguntas para interesarte por cómo son en el entorno de tu compañero y házselas.

28

Completa cada frase utilizando las construcciones verbales **divertirse**, **pasárselo bien** o **pasarlo mal**, como en el ejemplo.

1. Bueno, Elena. ¡Buen viaje y que ....!

2. La gente .... en ese tipo de fiestas.

3. .... por la enfermedad de su padre.

4. ¿..................... en casa de tus primos?

5. .... en mi cumpleaños. Fue muy aburrido.

6. Voy a Ibiza el fin de semana. Espero .... allí.

7. Todos los años en primavera, con la alergia, ...

29

Piensa en momentos en los que te lo has pasado bien últimamente y en momentos en los que lo has pasado mal. Cuéntale a un compañero qué sucedió y dale todos los detalles que quieras.

Lo pasé bastante mal el lunes pasado en el dentista. Tuve que ir a una revisión y...

30

Completa las siguientes frases de manera lógica. Compara después tus respuestas con las de tu compañero. ¿Coincidís en algo?

1. Cuando uno/a *está en el campo* ...., se siente más libre.

2. Cuando la gente no ...., te pones de mal humor.

3. Cuando se ...., parece que la vida tiene más sentido.

4. Todo el mundo, cuando lleva un tiempo viviendo en el mismo lugar, ...

5. El estudiante medio se decepciona cuando ....

6. Te crees un superhombre o una supermujer cuando ....

31

¿Qué crees que le pasa a todo el mundo? Escribe frases sobre estos temas siguiendo el modelo de la actividad anterior.

1. En el trabajo

Tienes ideas más originales cuando trabajas en equipo.

2. Cuando te despiertas

3. Con los jefes

4. Con la música

5. Al volver a tu casa

6. En los transportes públicos

7. De vacaciones

32

¿Cuáles de estas afirmaciones podrían aplicarse a tu país?

1. Casi todo el mundo pasa mucho tiempo en casa.

2. No se celebran muchas fiestas familiares, pero sí con amigos.

3. El ciudadano medio vive de alquiler.

4. Los fines de semana la gente sale al campo a practicar algún deporte.

5. Los jóvenes están muy interesados en cuestiones políticas.

6. Todo el mundo baila o canta en las reuniones familiares.

7. La gente habla dos o tres lenguas.

8. Un trabajador medio gana unos 1000 euros.

9. El ciudadano medio tiene hijos de una o dos parejas.

10. La gente no lee mucho.

11. La gente es muy expresiva.

33

Habla de ello con un compañero.

34

Escribe cinco afirmaciones generales sobre tu país, tu región o tu cultura con los siguientes recursos.

- Se + **verbo en tercera persona**
- **Segunda persona del singular**
- Uno + **tercera persona del singular**
- **La gente, todo el mundo, los...**
- El/La + **sustantivo**

1. ....
....
....

2. ....
....
....

3. ....
....
....

4. ....
....
....

5. ....
....
....

35

¿Cómo formularías la pregunta para obtener la siguiente información?

1. El lugar de celebración de una boda

¿Dónde es la boda?
....

2. La hora de la clase de español

....

3. La fecha del cumpleaños de un amigo

....

4. El lugar de realización de un examen

....

5. La fecha de inicio de las próximas vacaciones

....

6. La fecha de un evento deportivo que te interese

....

36

Ahora escribe otras cuatro preguntas interesantes para ti y házselas a un compañero. Él te debe responder.

1. ....
....

2. ....
....

3. ....
....

4. ....
....

03
MIRAR UN CUADRO

 37

Completa la tabla con información sobre los autores de las citas de la página 150
del Libro del alumno. ¿Quiénes te parecen más interesantes?

	Profesión	Nacionalidad	Por qué es conocido/a
Albert Camus		*Francés*	
Pablo Picasso	*Pintor*		
Leonora Carrington			
Vladimir Maiakovski			
Georgia O'Keeffe			

38

Señala si estas afirmaciones se refieren al texto "Mujer saliendo del psicoanalista" de la página 151 del Libro del alumno. Vuelve a leerlo para comprobar tus respuestas.

	V	F
1. Hay una presentación biográfica de la autora.	☐	☐
2. Se indica el movimiento artístico al que pertenece.	☐	☐
3. Se explica por qué la obra es original.	☐	☐
4. Se destaca la influencia de un artista sobre su obra.	☐	☐
5. Se destaca la influencia de una persona de su entorno sobre su obra.	☐	☐
6. Se interpreta la obra con referencia a algún aspecto de la biografía de la autora.	☐	☐
7. Se explican las características fundamentales de las obras de la artista.	☐	☐
8. Se describe el cuadro con detalle.	☐	☐
9. Se interpretan los símbolos del cuadro.	☐	☐
10. Se indica dónde se encuentra la obra actualmente.	☐	☐

39

¿Qué sabemos de Remedios Varo tras leer el texto sobre su obra *Mujer saliendo del psicoanalista*?

....
....
....
....
....
....
....
....
....
....
....
....
....

40

Busca algunos datos más sobre su biografía y añádelos a los anteriores.

Escucha de nuevo el audio en el que el guía del museo habla sobre el cuadro *La Venus del espejo,* de Velázquez, y completa los siguientes enunciados.

1. Velázquez representa a .... y ....

2. La diosa está ...., mientras el dios ....

3. En la composición predominan las líneas .... y ....

4. Los colores son muy ....

5. Es una escena muy ...., cercana.

6. La luz cálida refuerza la .... y de privacidad.

7. Lo que pretende Velázquez es ....

8. El uso del tema mitológico podría ser una excusa para ....

9. En el barroco los contrastes se hacen ....

La Venus del espejo, Diego Velázquez

Escucha esta breve biografía del pintor Diego Velázquez y responde a las preguntas.

1. ¿Por qué fue Velázquez al taller de Francisco Pacheco?

....

2. ¿Qué temas pintó en esta primera etapa?

....

3. ¿Cómo es su pintura de esa época?

....

4. ¿Por qué se trasladó a Madrid?

....

5. ¿A qué se dedicó en Italia?

....

6. ¿Qué cambió en su pintura tras su estancia en Italia?

....

7. ¿Por qué destaca Velázquez como retratista?

....

8. ¿Qué quiere conseguir en su última etapa?

....

43

Busca alguna otra representación de Venus y descríbela. Puedes fijarte en los siguientes aspectos.

- **el color**
- **la postura**
- **la escena en la que se representa**
- **la época y el estilo de la obra**
- **las sensaciones que te provoca**

44

Comparte tu descripción con tus compañeros. ¿Cuál de las representaciones de Venus te gusta más? ¿Por qué?

45 58

En parejas, escuchamos de nuevo este diálogo fijándonos en la entonación y leemos la transcripción. Después, lo repetimos entre los dos.

–Mira, Iñaki, *La Venus del espejo*, de Velázquez.

–Anda, me recuerda a *La maja desnuda*, de Goya...

–Sí...

–Pero con otra postura, ¿no?, al revés.

–Se parece mucho y, además, esta se está mirando la cara en el espejo.

–Sí. Tiene un punto inquietante, ¿no?, esa imagen del espejo, ella reflejada...

–Sí... se está mirando como embelesada, ¿no?

–Sí... Oye, ¿y te has fijado en el angelito, has visto qué peinado tiene?

–Sí, je, je...

–Parece un poco... punki.

–Me encantan las plumas y la cintita azul que lleva encima del pecho...

–Está guay...

–Parece una *miss*.

–*Miss* Angelito...

–Sí... Ja, ja, ja.

–Pero el cuadro es como muy tranquilo...

–Sí, tiene una atmósfera muy relajante...

–Sí, los colores...

–Esos trazos... vaporosos...

–Cómo se mira ella, cómo mira al angelito...

–Sí, es muy romántico, me da... me da buen rollo...

–Sí, da tranquilidad.

–Es como que... me tranquiliza. Sí.

–Creo que luego, cuando salgamos, voy a mirar en la tienda, a ver si tienen una reproducción para mi estudio.

–Vale, si hay, te la regalo.

–Venga...

–¿Vale?

–Acepto. Gracias.

–De nada.

46

Localiza estas expresiones en la transcripción del diálogo anterior. ¿Cuál es la diferencia entre **se parece** y **parece**? ¿Cómo lo dirías en tu lengua?

	En mi lengua
1. Se parece mucho…	
2. Parece un poco… punki.	
3. Parece una *miss*.	

47

¿Cómo hacen estas cosas los dos amigos en el museo? Localízalo en la transcripción y anótalo.

1. Hablar de la semejanza del cuadro con otra obra.

Me recuerda a La maja desnuda, de Goya.

2. Llamar la atención de la otra persona sobre un aspecto del cuadro.

3. Expresar lo que le sugiere el ángel (al chico).

4. Manifestar las emociones que despierta la obra.

5. Aceptar el ofrecimiento de que le compren una reproducción del cuadro.

6. Valorar el acierto en la elección del título del cuadro.

7. Expresar un sentimiento negativo que les provoca la obra.

48

En pequeños grupos, pensamos en un pintor que nos interese y preparamos una presentación para la clase. Podemos hablar de los siguientes aspectos.

- • **Datos biográficos del autor**
- • **El estilo o el movimiento artístico**
- • **Alguna obra destacada**
- • **Descripción de alguna de sus obras**

49

Redacta la información sobre estos artistas y estilos artísticos, utilizando los recursos de la página 152 del Libro del alumno, como en el ejemplo.

1. Dalí – surrealismo español

Dalí es uno de los principales representantes del surrealismo español.

2. Picasso – cubismo – cuadro *Las señoritas de Avignon*

3. Cubismo: representación de la naturaleza con formas geométricas

4. Goya – (1746-1828) – pintor del rey Carlos IV

5. César Manrique – escultor – naturaleza y arte

6. Zurbarán – pintor de temas religiosos – siglo XVII

7. Gaudí – arquitecto – modernismo – Sagrada Familia (Barcelona)

8. Pintura española del siglo XVII – temas religiosos y contraste de color

9. Surrealismo – influencia de los sueños y del psicoanálisis

Elige un cuadro de Remedios Varo y descríbelo. En clase buscad en internet otras obras. Lee tu descripción a tus compañeros, que deberán identificar de qué cuadro se trata.

51

La Venus del espejo se expone en la National Gallery de Londres. ¿Has estado en algún museo importante? ¿Qué recuerdas haber visto en sus salas? Cuéntaselo a tus compañeros.

Yo una vez estuve en el Metropolitan de Nueva York y lo que más me impresionó fue...

52

Transforma las siguientes frases como en el ejemplo.

1. Picasso vivió en su juventud en España, pero desarrolló su obra en Francia.

Fue en Francia donde Picasso desarrolló su obra.

2. La Segunda Guerra Mundial obligó a muchos artistas a emigrar a otros países. Dalí se trasladó a Nueva York tras la guerra.

3. Goya tiene obras de diferentes etapas, pero las que más atraen a los críticos son las pinturas negras.

4. La pintura de Juan Gris pasó por diferentes etapas, como las de otros artistas, pero se lo conoce especialmente por su etapa cubista.

5. El rasgo que más destaca en las esculturas del colombiano Fernando Botero es el volumen de las figuras que se representan.

6. Frida Kahlo abordó muchos temas en sus obras, pero casi todas ellas comparten el dolor por su enfermedad.

7. El arte del cubano Wifredo Lam tiene muchas influencias, pero destacan especialmente las africanas.

53

Clasifica los recursos del recuadro según la función que tienen en el discurso oral.

- mirad
- ¿veis?
- es decir
- ¿me entienden?
- en otras palabras
- ¿me siguen?
- bueno, y ahora
- quiero decir
- ¿me seguís?
- fijaos
- o sea
- miren
- ¿me entendéis?
- ¿verdad?
- mejor dicho
- fíjense
- ¿ven?

Llamar la atención del interlocutor	Regular la interacción
mirad	

Pasar a otro tema	Aclarar, corregir o reformular una información

54 ◄ 59

Una guía del Museo del Prado ha elegido *El paso de la laguna Estigia* como su obra favorita. Escucha lo que dice y toma notas de por qué la ha elegido y por qué le gusta.

 55

¿Qué te parece a ti este cuadro? ¿Te gusta? ¿Qué te sugiere? Coméntalo con dos compañeros.

 56

Visita la página web del Museo del Prado y elige una obra que te guste. Explica a tus compañeros por qué la has elegido.

MUSEO DEL PRADO **200 AÑOS**   ☰ EN Q

INICIO   MULTIMEDIA   FICHA TÉCNICA   MÁS OBRAS

PATINIR, JOACHIM
Dinant (Bélgica), 1480 -
Amberes, 1524

Nacido a las orillas del Mosa, es considerado como el primer paisajista flamenco. Sus amplios paisajes, muy característicos, presentan horizontes altos con extensas campiñas en las que destacan macizos de rocas puntiagudas, de carácter fantástico, mezclándose lo real y lo simbólico. Sus temas son un ...

VER FICHA DE AUTOR

El paso de la laguna Estigia

1520 - 1524. Óleo sobre tabla, 64 x 103 cm.

Esta pintura de Patinir destaca por su originalidad y su composición, distinta a la habitual, formada por planos paralelos escalonados. Favorecido por el formato apaisado de la tabla, el autor divide verticalmente el espacio en tres zonas, una a cada lado del ancho río, en el que Caronte navega en su barca con un alma.

Tomando como fuente de inspiración las representaciones anteriores del Paraíso o del Purgatorio del Bosco, decisivas en su proceso y creación final, Patinir reúne en una única composición imágenes bíblicas junto a otras del mundo grecorromano. El ángel situado en un promontorio, los otros dos, no lejos de éste, que acompañan a las almas, y algunos más, junto con otras almas ... ▼

ⓧ ⓕ ✉

ETIQUETAS

Óleo   Tabla

Lugares mitológicos

Aves

Pavo real (Pavo cristatus)

Ciervo (Cervus elaphus)

[+]

VER VOZ DE LA ENCICLOPEDIA

ARCHIVO DE LÉXICO

 57

Jugamos dos contra dos. En su turno, cada pareja tacha en el tablero una casilla de la que pueda poner un ejemplo. Gana la pareja que consigue tachar la última casilla. Tenéis 30 segundos para contestar y no podéis usar los ejemplos de esta lección ni repetir las respuestas.

ARTE

ARTE ANTIGUO	ARTE ROMÁNICO	ARTE BARROCO	ARTE MEDIEVAL
ARTE ABSTRACTO	PINTAR UN PAISAJE	HACER UN DIBUJO	UNA OBRA CONTEMPORÁNEA
UN ARTISTA DESCONOCIDO	UNA OBRA ÚNICA	UNA OBRA ABSTRACTA	ARTE VANGUARDISTA
UNA OBRA CLÁSICA	UN ARTISTA MALDITO	UNA OBRA INIGUALABLE	UN ARTISTA RECONOCIDO
UN ARTISTA DE ÉXITO	ARTE PRECOLOMBINO	UNA OBRA INCOMPRENSIBLE	UNA OBRA MODERNA
PINTAR UN RETRATO	HACER UNA ESCULTURA	UNA OBRA FIGURATIVA	UN ARTISTA DE CULTO

58

En grupos, jugamos a adivinar obras de arte o artistas muy famosos haciendo preguntas. Solo se puede responder "sí" o "no".

"—¿Es un artista?
—No.
—¿Es una obra?
—Sí.
—¿Es una escultura?
—No."

59

Piensa en un ejemplo que encaje en cada una de estas categorías. Compártelo con un compañero y explícale por qué lo has elegido.

1. Una persona divertida de tu entorno
....

2. Una película divertida que has visto recientemente
....

3. Una fiesta especialmente divertida en la que has estado
....

4. Una situación divertida que has vivido
....

5. Una película entretenida, pero no muy divertida
....

60

Mira a tu alrededor y pon un par de ejemplos de cada una de las categorías. Si no es posible, piensa en algo relacionado contigo que podrías clasificar así.

1. Algo bonito

la mochila de Tom

2. Algo precioso
....

3. Algo genial
....

4. Algo extraordinario
....

5. Algo mono
....

6. Algo guapo
....

61

Completa esta tabla con ejemplos de la ciudad y del país donde vives. Luego compara tus respuestas con las de tus compañeros.

	En la ciudad	En el país
Un lugar bonito	....	....
Un lugar precioso	....	....
Un lugar genial	....	....
Un lugar extraordinario	....	....

A mí me parece preciosa la vista desde el mirador de San Nicolás, porque…

ESCRITURA

 62

¿En qué fiesta popular de Latinoamérica te gustaría participar? Busca información sobre alguna que conozcas o que te interese y, después, escribe un mensaje de correo electrónico a un amigo explicándole en qué consiste e invitándolo a ir contigo a conocerla.

 63

Escribe un folleto con la descripción de las obras que seleccionaste para la exposición de arte de la página 155 del Libro del alumno. En el folleto tienes que hablar de las tres obras presentadas. O, si lo prefieres, puedes escoger tres obras relacionadas con otro tema que te interese (la familia, el miedo, el amor...).

INVESTIGACIÓN Y DESARROLLO

01
CIENCIA PARA TODOS LOS PÚBLICOS

1

¿Qué palabras del texto "Ciencia para todos los públicos" corresponden a estas definiciones?

1. Liberación violenta de energía.

....

2. Atraer y mantener el interés de una persona.

....

3. Obra que se emite por capítulos en televisión.

....

4. Órgano que centraliza la actividad del sistema nervioso.

....

2

Elige dos palabras más del texto y escribe su definición. Después, léeselas a tus compañeros. ¿Saben a qué palabras se refieren?

1. ....

2. ....

Busca en el texto los adjetivos que acompañan a estos sustantivos y escribe otros dos posibles en cada caso.

divulgación ▷ ....

jóvenes ▷ ....

explicaciones ▷ ....

público ▷ ....

4 ▶

Antes de ver el vídeo, ordena estos párrafos extraídos de la transcripción. Subraya en los textos lo que te ha ayudado a establecer un orden. Después, comprueba tu respuesta con el vídeo.

1. Hola, me llamo Adrián y..., bueno, seguro que vosotros, al igual que yo, alguna vez os habéis hecho la pregunta de... ¿cómo el humano, insignificante en el universo, ha sido capaz de conseguir cosas tan complejas como desarrollar teléfonos móviles o crear naves aeroespaciales?

2. Bien, la respuesta está en esa complicada máquina a la que llamamos *cerebro*. Pero debo decir que esto no ha sido siempre así; ha ido cambiando y desarrollando su mejor versión con el paso de las generaciones. Como cuando actualizas tu móvil a uno mejor. Pero yo sé lo que tú quieres. Tú quieres saber cómo funciona. Bien, pues vamos allá.

3. Esta máquina está formada por pequeñísimas piezas llamadas *neuronas*, células con una forma un tanto especial, que son capaces de agruparse para formar redes y el tejido nervioso que luego forma todo el sistema nervioso. Estas conexiones que acabo de decir funcionan con el paso de una sustancia de una neurona a otra. (...)

4. Bueno, creo que yo ya he terminado de contar lo que quería, así que espero que por fin te hayas dado cuenta de lo fácil que es pensar y lo difícil que es hacer que pase. (...)

5

Lee las siguientes afirmaciones. ¿Se refieren a cómo sentimos, a cómo recordamos o a cómo pensamos? Vuelve a ver el vídeo si lo necesitas.

	sentir	recordar	pensar
1. Cuando un hecho es impactante para la persona, se crea un patrón de neuronas que guardan esa información.	☐	☐	☐
2. Se lleva a cabo en la corteza cerebral, especialmente en el lóbulo frontal.	☐	☐	☐
3. La amígdala compara el impulso que recibe con otros previos para decidir cuál es la emoción adecuada.	☐	☐	☐
4. Cuantas más veces se repiten determinadas conexiones de neuronas, más fácil es recrearlas.	☐	☐	☐
5. El sistema límbico es la parte que se encarga de las emociones.	☐	☐	☐
6. Las hormonas provocan una reacción en cadena que hace que se libere "adrenalina".	☐	☐	☐

 6

¿Conoces algún canal de divulgación? Investiga en internet y escoge uno que te guste. Preséntaselo después a tus compañeros. Puedes seguir este guion.

- Cómo se llama el canal.
- Quién lo administra.
- Por qué te gusta.
- De qué temas interesantes habla.
- Cuántos seguidores tiene.
- Si tiene algún vídeo especialmente interesante.
- ...

 7

Completa estos fragmentos de explicaciones de *youtubers* científicos con estas formas del imperativo. A veces es posible usar más de una forma.

- veamos
- continuemos
- vayamos
- terminemos
- sigamos
- analicemos
- imaginemos
- supongamos

1.
– La Física puede explicar muchos misterios de la vida cotidiana. .... unos ejemplos: en primer lugar...

2.
– Y voy a poneros una muestra práctica de la diferencia entre la velocidad de la luz y la del sonido: .... que estamos en un concierto de rock a 300 metros del escenario...

3.
– Hasta aquí la primera parte de nuestra explicación de cómo funcionan los agujeros negros. .... ahora explicando cómo Einstein ya predijo su funcionamiento: la teoría de la relatividad...

4.
– Y después de esta introducción, que espero que haya quedado clara, ... un poco más allá en nuestra explicación de la tabla periódica de los elementos...

8

Escribe un principio lógico para cada uno de estos diálogos.

1.

– ....

– Pues la mía yo creo que ni se lo ha planteado todavía.

2.

– ....

– Pues no lo sé, sinceramente, supongo que en taxi... o andando.

3.

– ....

– Pues a mí también, la verdad. Va a ir muchísima gente.

4.

– ....

– Ah, ¿no? Pues nosotros vamos todos los veranos.

9

Escribe ahora una respuesta a cada una de estas intervenciones con **pues**. Puedes continuar con lo anterior, contrastarlo o introducir una reacción.

1.

– Últimamente me levanto muy pronto para ir a correr. Es sano, pero estoy agotada.

– ....

2.

– ¿No te acordabas de que teníamos un examen de español el próximo viernes?

– ....

3.

– Hace ya mucho que no salimos a cenar. ¿Te apetece que vayamos este sábado?

– ....

4.

– Mi madre anda un poco mal de salud últimamente; es que ya es muy mayor.

– ....

10

Escribe una frase sobre cada uno de estos temas.

1. Un actor o una actriz que te gusta.

....

2. Una actividad que haces a menudo o que no haces nunca.

....

3. Tus últimas vacaciones.

....

4. Algo que te ha pasado hoy.

....

5. Una noticia que has leído últimamente.

....

11 👥

Lee tus frases a un compañero. Él tiene que escuchar atentamente y continuar las interacciones con **pues** + una reacción o una opinión que continúa o contrasta con las tuyas.

12

¿Con cuáles de estas frases te identificas? ¿Por qué? Coméntalo con un compañero.

☐ **1.** Cuanto más estudio español, más difícil me parece, sobre todo los verbos.

☐ **2.** Cuanto más temprano me levanto, mejor me encuentro el resto del día.

☐ **3.** Yo, cuanto menos ceno por las noches, mejor duermo después.

☐ **4.** Cuanto mayor me hago, más paciencia tengo con todo en general: familia, trabajo...

☐ **5.** Cuanto menos lo pienso, menos pereza me da ir al gimnasio.

☐ **6.** Cuanto más tiempo le dedico a descansar el fin de semana, mejor humor tengo durante el resto de la semana.

13

Completa estas frases.

1. Cuanto más tiempo pases mirando el teléfono, ...

....

2. Cuanto menos salgo por las noches, ...

....

3. Cuanto mejor conduzcas, ...

....

4. Cuanto menos pensamos en el futuro, ...

....

14

Amanda, una estudiante de 20 años, tiene hábitos poco saludables, pero también muchas cosas positivas. Escribe una frase con **cuanto más / menos** a partir de cada información que te damos.

1. Estudia muy poco.

Cuanto menos estudia, peores resultados tiene en la universidad.

2. Duerme solo cuatro o cinco horas.

....

....

3. Canta y baila mucho y muy bien.

....

....

4. Sale mucho por las noches.

....

....

5. Cocina mucho y muy bien.

....

....

6. Fuma mucho.

....

....

CUANTO MÁS GRITES, MENOS CASO TE HARÉ.

15

Une las frases de esta profesora usando el conector adecuado en cada caso. Solo puedes utilizar cada conector una vez.

- **es que**
- **pero**
- **ya que**
- **de todas maneras,**
- **así (es) que**

1.

a. Los resultados de los últimos exámenes no han sido muy buenos,

b. lo más sensato es que empiecen ustedes a estudiar ya para los próximos.

....

2.

a. Ya sé que algunos de los libros que les recomiendo son caros,

b. es posible conseguirlos en la biblioteca, así que no hay excusa para no leerlos.

....

3.

a. Este año no vamos a poder hacer la visita al Museo de Historia Natural,

b. está cerrado hasta agosto, pero buscaremos otra opción.

....

4.

a. Es cierto que muchos de ustedes han solicitado una beca Erasmus en Oxford y que todos quieren ir,

b. solo hay cinco plazas este año. El resto podrá solicitarla el próximo curso.

....

5.

a. La próxima semana no podré impartir esta clase y vendrá otra profesora,

b. tengo que asistir a un congreso, pero estaré de vuelta la semana siguiente.

....

16

Termina estas otras frases de la misma profesora.

1. Es verdad que el plazo para entregar los trabajos acaba este viernes. De todas maneras, ...

....

....

2. Este año el Congreso de Neurociencia se celebra en nuestra universidad, así es que ....

....

....

3. Tengo intención de jubilarme en un par de años. Por lo tanto, ...

....

....

4. No voy a poder contestar a todos sus correos estos días. Es que ....

....

....

02
LOS TRABAJOS DEL FUTURO

17

El texto de las páginas 162 y 163 del Libro del alumno prevé la desaparición de muchos tipos de trabajos. Haz una lista de profesiones que tú crees que van a desaparecer pronto.

....

....

....

....

....

....

....

....

19

¿Qué profesiones y ámbitos de trabajo se mencionan en el texto relacionados con cada uno de estos temas?

1. Economía y finanzas

....

....

2. Educación y aspectos sociales

....

....

3. Comercio e industria

....

....

20

Amplía las listas de la actividad anterior con otras profesiones del futuro que conozcas o imagines.

21

¿Cuáles de estas ideas coinciden con las que se defienden en el texto y cuáles no? Corrige las que no son correctas en tu cuaderno.

18

Compara tu lista después con la de un compañero y explícale por qué crees que van a desaparecer las profesiones que has escrito.

66

—Yo creo que van a desaparecer los carteros.
—¿Y eso por qué?
—Pues porque…

99

	Sí	No
1. La evolución tecnológica está siendo la principal responsable de que muchas profesiones desaparezcan y vayan siendo sustituidas por otras.	☐	☐
2. Dejarán de existir muchos trabajos tal y como los conocemos hoy día, sobre todo aquellos que estén ligados al conocimiento.	☐	☐
3. Para algunos expertos, la pérdida de miles de puestos de trabajo no será un problema, sino que abre posibilidades nuevas en el mercado laboral.	☐	☐
4. La existencia de tanta información sobre las personas que manejan ahora las empresas facilitará el desarrollo de la ética de la privacidad en la sociedad de la comunicación.	☐	☐
5. El hecho de que las personas vivan cada vez más años generará nuevas necesidades y otros puestos de trabajo.	☐	☐
6. Entre otros ámbitos, se desarrollarán industrias que contaminarán los ríos y las cosechas, por lo que será necesario recurrir a otras fuentes de agua potable.	☐	☐

22

En parejas, buscamos información sobre cuatro de estos ámbitos de la industria y explicamos en qué consisten y por qué serán importantes en el futuro.

- • **la cosecha de agua**
- • **el consumo colaborativo**
- • **la gestión de datos sobre el ser humano**
- • **los drones comerciales**
- • **la impresión 3D**
- • **el internet de las cosas**
- • **los sistemas financieros alternativos**
- • **las microuniversidades**
- • **la atención a la tercera edad**
- • **las biofábricas**
- • **la ética de la privacidad**

23 • 60-62

En estas conversaciones se habla de tres profesiones: traductor, ciberabogado y especialista en pedagogía en línea. ¿Cuáles de estas frases crees que se refieren a cada profesión? Después, comprueba tus respuestas con el audio.

1. "(...) es muy difícil que una aplicación pueda captar la intención de un poema".

2. "(...) estamos ante una vorágine de estafas, de suplantadores de identidad, de uso ilegal de datos".

3. "(...) han montado unos cursos mucho más motivadores, mucho más eficaces".

4. "Ahora mismo todo esto no está regularizado".

5. "Y no es solo cuestión de entornos, es una cuestión de herramientas, de maneras de hacer".

6. "(...) todas las referencias culturales que hay, la realidad cambiante, ¿no?".

24 **60**

Vuelve a escuchar la primera conversación y realiza estas acciones en la transcripción.

- Rodea con un círculo cada vez que dicen **¿no?** al final de una frase.
- Subraya cada vez que dicen **bueno** o **pues** para empezar una frase.
- Marca con un color cada vez que repiten **claro** y **sí**.

–Mira qué interesante: aquí hay una lista de profesiones que van a tener mucho futuro.

–A ver...

–Mira qué curioso: dice que la profesión de traductor. Es raro, ¿no?

–¿Estás segura?

–Sí.

–Bueno, con todo el tema de la traducción automática y todo esto...

–Sí, sí, pero aquí dicen que las aplicaciones hacen traducciones sencillas y... y automáticas, pero... pero que hay muchas cosas que no las pueden llegar a hacer.

–Bueno, por ejemplo...

–Pues por ejemplo...

–Supongo, literatura y cosas así que...

–Claro, claro... La poesía... es muy difícil que una aplicación pueda captar la intención de una imagen, de un poema, ¿no?

–O darle la vuelta...

–Y otra cosa curiosa que dicen es que... el tema del humor.

–Claro...

–Porque, claro, el humor es muy cambiante, ¿no? Algo que es gracioso esta semana a lo mejor ya no es gracioso la semana que viene, ¿no?

–Bueno, o en una lengua y en otra que habrá que adaptar la broma, a veces...

–Claro, claro, claro, claro... todas las referencias culturales que hay, la realidad cambiante, ¿no? No sé, una referencia a algo que ha sucedido la semana pasada, ¿no? Que puede ser gracioso y... Y eso es muy difícil, claro, es lógico, es muy difícil que una aplicación lo pueda interpretar y... y traducir... ¿no?

–Me alegro...

–Bueno, lo que dicen es que si eres buen traductor no te va a faltar el trabajo.

–Pues mira, ya sé qué decirle a mi sobrina que estudie.

25

Respondemos a estas preguntas en parejas.

1. ¿Por qué se dice **¿no?** al final de muchas frases? ¿Cómo lo traducirías en cada caso a tu idioma?
2. ¿Qué significan **bueno** y **pues** en casa caso? ¿Hay una forma de decirlo en vuestro idioma?
3. ¿Por qué creéis que repiten las palabras **claro** y **sí**? ¿Significa lo mismo en todos los casos? ¿En vuestro idioma también se repite?

26 **62**

¿Cuáles de estas opiniones coinciden con las que se mencionan en la conversación sobre especialistas en pedagogía en línea?

	Sí	No
1. A fin de cuentas, es igual estudiar en cursos presenciales o en línea.	☐	☐
2. Las plataformas de aprendizaje en línea tienen éxito también porque mucha gente no puede asistir a clases.	☐	☐
3. Hay cursos en línea y en YouTube más atractivos que las clases tradicionales y que funcionan bien.	☐	☐
4. Los profesores tradicionales se están formando para adaptarse al nuevo dinamismo.	☐	☐
5. Harán falta recursos específicos para formar a los nuevos profesionales de la enseñanza.	☐	☐
6. Las nuevas formas de aprendizaje no solo funcionan, sino que además son más entretenidas.	☐	☐

27

Localiza en la transcripción de la página 266 del Libro del alumno los párrafos en los que se expresan las ideas de la actividad anterior.

28

Estas son algunas de las áreas profesionales que más se desarrollarán en el futuro, según los especialistas. En grupos, elegimos una profesión de la lista, buscamos información en internet y preparamos una presentación para hacer en clase. Entregad una lista con las palabras clave a vuestros compañeros antes de hacer la presentación.

- • **Nanomedicina**
- • **Turismo espacial**
- • **Diseño de hábitats virtuales**
- • **Diseño de sueños**
- • **Geriatría**
- • **Genómica para la agricultura y la ganadería**
- • **Psicología industrial**

29

Completa estas predicciones sobre la evolución en las formas de pagar en las tiendas en los próximos años.

1. Hay bastantes probabilidades de que (desaparecer) .... definitivamente la opción de pagar en efectivo.

2. Con toda seguridad (emplear) .... cada vez más aplicaciones móviles para efectuar pagos.

3. Lo más seguro es que la autenticación biométrica (convertirse) .... en una de las formas de pago más comunes: huella dactilar, reconocimiento facial, reconocimiento de voz...

4. Tal vez (desarrollarse) .... la opción de pagar con un chip implantado bajo la piel.

5. Posiblemente las tarjetas de crédito poco a poco (dejar de ser) .... un método popular de pago.

6. Puede ser que en unos años (crecer) .... las posibilidades de pagar a través de cuentas virtuales como Paypal o las monedas virtuales, como Bitcoin.

30

¿Con qué predicciones de la actividad anterior estás de acuerdo?

31

¿Cómo será la vida en 2050? Escribe dos predicciones para cada uno de estos temas. Intenta usar una fórmula distinta para expresar posibilidad en cada predicción.

1. La vida en casa

....
....
....

2. Los vuelos *low cost*

....
....
....

3. Encontrar pareja

....
....
....

4. El transporte en la ciudad

....
....
....

5. El tratamiento de enfermedades

....
....
....

32

Intercambia tus predicciones con un compañero. ¿Coincidís?

33

Estas son las normas de una comunidad de vecinos. Reescríbelas en un registro más formal con los recursos que aparecen en cada caso. Tienes que escoger una de las dos posibilidades.

1. No se podrá usar el ascensor durante una semana porque vamos a reemplazarlo por uno nuevo.
(dado que / puesto que)

Dado que vamos a reemplazar el ascensor por uno nuevo, no se podrá utilizar durante una semana.

2. El ascensor se ha estropeado por el mal uso que ha hecho algún vecino para su mudanza.
(provocar que / hacer que)

....
....

3. Como ha subido el precio de la factura de la luz, habrá que pagar un 5% más de contribución mensual.
(al + infinitivo / hacer que)

....
....

4. Este año ha llovido mucho. Por eso ha habido que reparar la azotea dos veces.
(como consecuencia de + sustantivo / pues)

....
....

5. La pintura de la escalera está en mal estado por las humedades que no arreglamos bien el año pasado.
(derivar de / deberse a + sustantivo)

....
....

6. Hasta el próximo año no habrá dinero para contratar un jardinero. Por eso este año cada fin de semana tendrá que ocuparse del jardín un vecino.
(ya que / al + infinitivo)

....
....

34

¿Crees que son posibles estas predicciones para el futuro? ¿Por qué? Coméntalo con un compañero.

1. En pocos años habrán desaparecido los televisores de pantalla y podremos ver la tele como un holograma, en cualquier lugar de la casa.

2. En 2050 habrán inventado dispositivos móviles que podrán conectarse a wifi desde cualquier parte del mundo: un avión, un barco en medio del océano o una cueva a 500 m de profundidad.

3. Los teléfonos, tal y como los conocemos ahora, habrán pasado a la historia dentro de 30 años: nos comunicaremos con dispositivos instalados en relojes, collares, gafas...

4. En 2050 las universidades habrán perdido más de la mitad de los alumnos que tienen ahora: los jóvenes harán estudios mucho más breves y especializados y empezarán a trabajar antes.

5. Mucho antes ya habremos dejado de estudiar idiomas porque las aplicaciones de traducción e interpretación habrán mejorado muchísimo.

—Oye, ¿tú crees que en 20 o 30 años habrán desaparecido los televisores?
—Pues sí, y seguramente antes, al menos como son ahora, porque...

35

Piensa en cinco cosas que crees que podréis haber hecho en los próximos 10, 20 o 30 años tú u otras personas de tu entorno. Exprésalo con el futuro perfecto.

1. ....

2. ....

3. ....

4. ....

5. ....

36

Transforma las frases usando **ya + futuro perfecto**, como en el ejemplo.

1. Llegaré a casa a las 4. Terminaréis de comer a las 3.

Cuando llegue a casa, ya habréis terminado de comer.

....

2. Iremos a buscarte al aeropuerto a las 6. Tu avión aterrizará a las 5.30.

....

....

3. Me jubilaré dentro de cinco años. Mis hijos terminarán la universidad dentro de tres años.

....

....

....

4. Vendréis a Madrid en septiembre. La exposición de Picasso se acaba en agosto.

....

....

....

5. Saldrás de casa dentro de un rato. Seguro que dejará de llover antes.

....

....

....

37

¿Cómo se traducen estas frases a tu lengua? Discútelo con un compañero que hable el mismo idioma que tú. ¿Estáis de acuerdo?

A.	En mi lengua
Nos casaremos cuando haya acabado la tesis.	
Nos casaremos en cuanto haya acabado la tesis.	
No nos casaremos hasta que haya acabado la tesis.	

B.	En mi lengua
Saldremos de viaje cuando haya amanecido.	
Saldremos de viaje en cuanto haya amanecido.	
No saldremos de viaje hasta que haya amanecido.	

38

Completa estas frases de manera lógica usando el pretérito perfecto de subjuntivo.

1. Estaremos parados en la autopista hasta que ....

....

2. Creo que cambiaré de trabajo en cuanto ....

....

3. Mi amigo Mauro dice que ahora no puede, pero que vendrá de visita cuando ....

4. Sin duda intentaré jubilarme en cuanto ....

....

5. No vamos a poder terminar de pagar la hipoteca hasta que ....

....

....

39

Compara tus frases con las de tu compañero.

03
LA COCINA DE MAÑANA

 40

Estas son algunas frases del texto "La cocina de mañana". ¿En qué apartado crees que están? Después, lee el texto para comprobarlo.

a. Platos en 3D
b. Cocinas minúsculas e inteligentes
c. Cocina cognitiva
d. Algas, insectos y hamburguesas *in vitro*

- [ ] **1.** Lo único que hará falta es cambiar el cartucho que necesita cada plato.
- [ ] **2.** Es un servicio web de IBM cuyo funcionamiento se parece al de la mente humana.
- [ ] **3.** Consumiremos habitualmente saltamontes, grillos...
- [ ] **4.** Las aplicaciones controlarán nuestras neveras y despensas.
- [ ] **5.** Otras aplicaciones harán posible que cocinemos desde el sofá.
- [ ] **6.** Aprende de los grandes chefs y utiliza la red para crear recetas espectaculares.
- [ ] **7.** Habrá un *boom* de esta tecnología aplicada a la gastronomía.
- [ ] **8.** No se podrá dedicar más superficie de suelo a la ganadería.

 41

Explica qué quiere decir cada una de estas palabras o secuencias de palabras.

1. intolerancias alimentarias: ....
2. lista de la compra: ....
3. valor nutricional: ....
4. alérgenos: ....
5. despensa: ....
6. recetas espectaculares: ....

 42

Completa las preguntas con los términos de la actividad anterior.

1. ¿Conoces a alguien con algún tipo de ....? ¿Cómo afecta a sus hábitos alimentarios?

2. ¿Haces una .... siempre que vas al supermercado o improvisas mientras compras?

3. ¿Cuál es la última .... que has cocinado o que ha cocinado alguien para ti?

4. ¿Eres de los que siempre mira el .... antes de comprar un alimento? ¿En qué valor te fijas más?

5. ¿Qué tres productos nunca faltan en tu ....?

6. ¿Sabrías hacer una lista de los .... más comunes?

43 Con un compañero, responde a las preguntas de la actividad anterior.

44

Elige uno de estos temas (u otro que te interese relacionado con la alimentación), busca información en internet y escribe un párrafo más para el texto "La cocina de mañana".

- **Embalajes comestibles**
- **Cultivos transgénicos**
- **Robots que cocinan**
- **La comida rápida del futuro**

....
....
....
....
....
....
....
....

45 63-64

Escucha de nuevo las conversaciones sobre dos de las tendencias del texto de las páginas 166 y 167 del Libro del alumno y contesta a estas preguntas.

1. ¿Por qué se van a fabricar hamburguesas de laboratorio?

....
....

2. ¿Qué tres fuentes de proteína se mencionan?

....
....

3. ¿Qué cosas "inteligentes" harán las nuevas cocinas?

....
....

4. ¿Qué aspectos positivos de cocinar de forma tradicional se mencionan en las conversaciones?

....
....

46 63-64

¿A qué hacen referencia, en las conversaciones anteriores, las palabras destacadas de estas frases? Vuelve a escuchar la grabación o consulta la transcripción si lo necesitas.

1. Lo veo más un capricho que una necesidad. ....

2. Eso sí que me da mucho asco a mí. ....

3. Yo me quedo con los otros. ....

4. Yo no soy muy partidario de esto. ....

5. Yo creo que así sabes mucho mejor lo que debes comer. ....

6. A mí me encanta como lo hacía mi madre y mi abuela. ....

7. Bueno, pero eso se va a quedar anticuado ya. ....

47

En parejas, escribid un diálogo entre dos personas que hablan sobre los platos en 3D. Intentad usar algunos de los recursos destacados de la actividad anterior. Después, lo leemos al resto de la clase.

48

Lee los textos e intenta averiguar de qué objeto cotidiano se habla en cada uno.

1. Es un objeto con el que puedes limpiar toda la casa en 20 minutos, sin tener que agacharte. No es muy grande, así que te permite ahorrar espacio en casa. Es como una escoba, o una fregona, pero eléctrica, y los modelos más modernos se parecen cada vez más a robots. Las buenas no son muy baratas, pero merecen la pena porque no tienen cables y son muy fáciles de usar: lo único que tienes que hacer es dejarlas cargando por la noche y, cuando acabas de limpiar, vaciar el depósito de basura. Así siempre estará lista para cuando la necesites. Es un invento fantástico, mucho mejor que las formas tradicionales de limpiar la casa. A mí me encanta: creo que es mi electrodoméstico favorito.

2. Es algo sin lo cual sería imposible sobrevivir en casa las tardes de verano. Te permite mantener una temperatura fresca y agradable, la que tú elijas, y su funcionamiento se parece a un ventilador pero algo más sofisticado. Tiene un mando a distancia con el que seleccionas la temperatura y la fuerza del aire, y también puedes programar a qué hora quieres que empiece y termine de funcionar. No es necesario ser muy hábil con la tecnología, la verdad, es realmente sencillo de usar y te permite estar en casa o en el trabajo sin morirte de calor. Para mí, es el mejor invento de la historia, me parece utilísimo y no entiendo cómo podían vivir sin él nuestros abuelos.

3. Es una forma de estar al día de la actualidad, un medio de comunicación con el cual se han informado generaciones y generaciones. Es como un libro o una revista, pero se publica todos los días. La mayoría son de pago, aunque también casi todos tienen ahora versiones digitales gratuitas. Sales a la calle, te das una vuelta, te pasas por el quiosco, lo compras, te tumbas en el sofá, le echas un vistazo a la portada, eliges la sección que quieres leer, pasas las páginas con cuidado y vas leyendo las noticias que más te interesan. Es un placer completo. A mí me sigue pareciendo una maravilla y, desde luego, la mejor opción para estar informado y pasar una mañana de domingo.

 49

Busca en los textos anteriores ejemplos en los que se hace cada una de estas cosas y anótalos.

Definir

....

....

Hablar de su utilidad

....

....

Dar instrucciones de funcionamiento, instalación y uso

....

....

....

Definir comparando

....

....

Hablar de sus características

....

....

Valorar

....

....

 50

Describe ahora tu objeto cotidiano favorito usando las formas que has anotado. Lee tu texto a tus compañeros. ¿Pueden adivinar de qué objeto se trata?

51

Completa los diálogos con **ya / aún / ya no / aún no**.

1.

– .... he terminado de leer la novela que nos

mandaron. ¡Por fin!

– Pues yo hace un mes que la empecé y .... he

podido acabarla; me quedan 50 páginas.

2.

– ¿ .... estás estudiando? ¡Son casi las 11 de la

noche!

– No, no, ... he terminado. Voy a acostarme

ahora mismo, mamá.

3.

– Buenos días, ¿está Alberto en la oficina?

– Lo siento, pero es que Alberto .... no trabaja

aquí.

4.

– Mejor salimos ahora que .... ha empezado a

llover, ¿no? No me quiero mojar.

– Lo siento, pero me temo que .... ha empezado:

¡mira por la ventana!

52

Pregunta a un compañero de clase por cuatro de estas cosas y anota sus respuestas.

1. Algo que tienes que hacer esta semana, pero aún no has hecho.
2. Alguien a quien admirabas hace unos años, pero que ya no admiras.
3. Algo que te gustaba de pequeño y que aún te gusta.
4. Algún sueño en tu vida que ya has cumplido.
5. Y algún sueño que aún no has podido cumplir.
6. Una película que te gustó la primera vez, pero que ya no te parece tan buena.
7. Un lugar en el que ya has estado varias veces, pero te apetece volver.

53

Escribe las cuatro cosas que has averiguado sobre tu compañero.

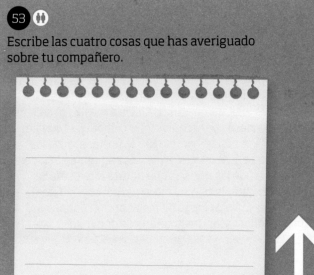

54

Lee lo que piensan diferentes implicados después de aprobar una ley en el Parlamento. ¿Cómo lo pueden haber dicho? Refiere cada opinión incluyendo las palabras textuales y utilizando verbos del recuadro.

> • señalar • asegurar • destacar
> • declarar • afirmar • añadir

1. Según el presidente del Gobierno, ha sido un éxito total y todo el mundo debería estar satisfecho.

"Ha sido un éxito total", afirma el presidente, y añade: "Todo el mundo debería estar satisfecho".

2. Para el ministro, lo más importante es que la ley haya sido aprobada por mayoría absoluta en el congreso.

3. Según el líder de la oposición, esa ley tiene muy poco futuro y será derogada pronto, en cuanto él esté en el Gobierno.

4. De acuerdo con el portavoz de las asociaciones de implicados, la ley no es suficiente, pero ha servido para que el Parlamento empiece a ocuparse de ciertos problemas.

5. Para muchos diputados del Congreso, esta nueva legislación llega tarde y no es completa, por lo que habrá que seguir debatiendo sobre el tema en el futuro.

ARCHIVO DE LÉXICO

55

Paco Lobo se transforma en el lobo Paco los días de luna llena. Relaciona las imágenes con las frases que mejor describen lo que ocurre en cada una.

☐ **a.** Las manos dejan de ser garras y, poco a poco, recupera su apariencia humana.

☐ **b.** Le crecen la barba y el pelo, también las uñas. Una de sus manos se ha convertido ya en garra.

☐ **c.** Ha evolucionado hasta su forma original. Se ha transformado nuevamente en humano.

☐ **d.** Las manos y los pies son sustituidos por garras. Desaparecen los rasgos humanos.

☐ **e.** Ha dejado de ser una persona para convertirse definitivamente en lobo.

☐ **f.** Paco todavía no ha comenzado a transformarse en lobo.

56

Utiliza los verbos del apartado 1 del Archivo de léxico para describir estos cambios.

1. .... 2. ....

....
....
....
....

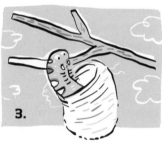 

3. .... 4. ....

....
....
....
....

5. .... 6. ....

....
....
....
....

 57

¿Con qué verbos asocias cada uno de estos elementos? En algunos casos puede haber más de una posibilidad.

- dudas
- una charla
- una situación
- un nuevo producto
- un fenómeno
- una traducción
- un resumen
- un problema de física
- los resultados de un estudio
- un tema de interés
- un discurso
- miedo

Dar >..............................
Dar a conocer >..............................
Hacer >..............................
Explicar >..............................
Exponer >..............................
Expresar >..............................

58

Elige tres de las combinaciones de la actividad anterior y escribe una frase con cada una.

1. ....
....
2. ....
....
3. ....
....

59

Completa con la disciplina o el trabajo que falta y añade dos más.

Disciplina	Trabajo
	profesor/a
contabilidad	
	abogado/a
pedagogía	
	arquitecto/a
farmacología	

 60

Elige la mejor expresión del recuadro para completar una de las frases. Conjuga el verbo en la forma adecuada y transforma los elementos necesarios.

> • **dejar para más adelante**
> • **tener toda la vida por delante**
> • **ser un adelantado para la época**
> • **adelantarse a los acontecimientos**
> • **tirar para delante**

1. Clara Campoamor .... que logró el sufragio femenino en España en 1931 enfrentándose a compañeros de su propio partido.

2. Después de llegar a Europa como refugiados, la familia de Fátima intenta .... lo mejor que puede en la ciudad española en la que se ha instalado.

3. Lo mejor, en opinión de la prensa, es esperar a ver qué pasa con el euro antes de tomar una decisión, y no ....

4. Lo mejor de tener solo 18 años es que puedes hacer los planes de futuro que quieras porque ....

5. Esta semana tenemos mucho trabajo con el presupuesto, así que lo mejor será que .... el resto de los asuntos pendientes.

 61

¿Tiene futuro la ropa inteligente? En parejas, cada uno lee un texto y hace una lista con las palabras clave para entenderlo. Después, cerramos el libro y le contamos al compañero, con nuestras palabras, lo que dice el fragmento.

1. El próximo otoño será posible contestar a una llamada con solo realizar un simple gesto sobre la cazadora. Se podrán recibir indicaciones del GPS, pasar a la siguiente canción o subir el volumen de la música sin tener a mano el móvil. Este es el futuro –muy cercano– que prometen Google y Levi's, que han diseñado una cazadora vaquera cuya manga sirve como mando para controlar un teléfono inteligente.

El secreto está en 15 hilos conductores que van entretejidos en la tela y que confieren sensibilidad al tacto. A través de una *app* instalada en el teléfono, el usuario podrá asociar funciones con cinco gestos de la mano sobre la manga. La chaqueta se conecta con el móvil por *Bluetooth* mediante un dispositivo camuflado en forma de trabilla con botón, la única pieza que debe retirarse antes de meter la prenda en la lavadora.

2. Pero la ropa inteligente lleva ya unos años con nosotros, sobre todo con aplicaciones relacionadas con el ejercicio físico y la salud. Un claro ejemplo es el iTBra, un sujetador en cuyo desarrollo ha participado la Universidad Tecnológica de Nanyang, en Singapur, y que incluye parches portátiles que detectan pequeños cambios de temperatura circadianos en las células de mama. Los datos se envían directamente al laboratorio Cyrcadia Salud. Los expertos aseguran que el porcentaje de acierto en la detección de tumores es del 85%.

Para la prevención de ataques cardiacos, varias empresas han desarrollado modelos deportivos con sensores biométricos y electrocardiogramas que registran la frecuencia cardiaca del usuario. Los resultados llegan directamente al teléfono móvil.

Como veis, la tecnología se pone una vez más al servicio de la humanidad para desarrollar modelos de ropa inteligente que ayudarán a hacer nuestra vida más fácil.

noticias.universia.es y bbvaopenmind.com

ESCRITURA

 62

Escribe un informe sobre el futuro de tu profesión (o la profesión para la que estás estudiando). Puedes analizar los siguientes aspectos.

- ¿Cómo será tu profesión dentro de 50 años?
- ¿Qué diferencias habrá con la actualidad?
- ¿Qué problemas crees que podrán presentarse?
- ¿Qué soluciones propones?

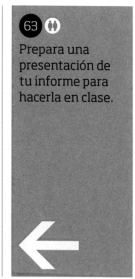 **63**

Prepara una presentación de tu informe para hacerla en clase.

 64

¿Cuáles son tus aplicaciones de móvil favoritas? Escribe una entrada para presentar tres de ellas en un blog de nuevas tecnologías. Puedes incluir la siguiente información y utilizar los recursos de la Agenda de aprendizaje 03.

- **Nombre**
- **Definición**
- **Características**
- **Utilidad**
- **Instrucciones de funcionamiento o instalación**
- **Valoración**

 65

¿En qué eres tú experto? Escoge un tema y prepara un pequeño artículo divulgativo para explicarlo a tus compañeros.

Tienes que:
- elegir un tema (de tu trabajo, de tus aficiones, de algo que te gusta especialmente…);
- recopilar información sobre el tema;
- seleccionar las ideas más interesantes;
- redactar el artículo;
- citar las fuentes;
- revisar la dificultad del léxico y de las ideas;
- escoger un título atractivo, corto y claro;
- ilustrarlo con algunas imágenes.

Recuerda:
- redactar frases cortas y sencillas;
- eliminar fórmulas matemáticas o gráficos complejos;
- aclarar léxico e ideas difíciles;
- usar comparaciones y ejemplos.

66

Comparte tu artículo con tus compañeros. ¿Tienen preguntas?

Si quieres consolidar tu nivel **B2**, te recomendamos:

Las claves del nuevo DELE B2

Si quieres empezar con el nivel **C1**, te recomendamos:

Las claves del nuevo DELE C1